Longman
VOCABULARY
MENTOR
JOY
START
Phonics Words
1
KB086295

Pearson

Longman
Vocabulary MENTOR JOY Start 1

지은이 교재개발연구소
편집 및 기획 English Nine
발행처 Pearson Education South Asia Pte Ltd.
판매처 inkedu(inkbooks)

전 화 02-455-9620 (주문 및 고객지원)
팩 스 02-455-9619
등 록 제 13-579호

ISBN 979-11-88228-24-9
잘못된 책은 구입처에서 바꿔 드립니다.

Longman

VOCABULARY MENTOR JOY START

★ 초등 영어 단어 학습의 시작 ★ 알파벳으로 배우는 영단어 ★ 파닉스로 익히는 단어 학습 ★

Phonics Words

1

Pearson

VOCABULARY MENTOR JOY START 1

Phonics Words

Vocabulary MENTOR JOY Start 시리즈는
총 2권으로 구성되어 있으며, 각 권당 200단어로
총 400단어를 학습하도록 구성되어 있습니다.

Book 1

- 알파벳별로 대표 소리에 따른 단어 구성
- 그림 제시를 통한 인지적 단어 학습
- 친절한 발음 설명을 통한 소리 학습
- 생생한 문장을 통한 자연스런 단어 학습

Book 2

 일상생활과 연계된 주제별 단어 구성

 콜로케이션을 통한 실용적 단어 학습

 단어, 콜로케이션, 문장까지 확장 학습

 문제 풀이를 통한 자연스런 단어 학습

영어발음 기호표

영어를 시작하는 데 있어서 가장 기본은 영어 읽기입니다. 하지만 한글과 달리 영어는 소리와 철자가 완전히 일치하지 않기 때문에 단어를 올바르게 읽기가 쉽지 않습니다. 그래서 영단어의 소리를 제대로 표기한 발음기호표가 필요합니다. 『Vocabulary MENTOR JOY Start』에 첨부된 발음기호표를 통해 차근차근 영어의 발음기호를 읽는 법을 익히다 보면 영어 학습의 초석을 단단하게 다질 수 있을 것입니다.

모음

구분	[a]	[e]	[i]	[o]	[u]	[ə]	[ʌ]	[ɔ]	[ɛ]	[æ]
소리	아	에	이	오	우	어	어	오	에	애
기호	ㅏ	ㅔ	ㅣ	ㅗ	ㅜ	ㅓ	ㅓ	ㅗ	ㅔ	ㅐ

자음

1. 유성자음

구분	[b]	[d]	[j]	[l]	[m]	[n]	[r]	[v]	[z]	[dʒ]	[ʒ]	[tz]	[ð]	[h]	[g]	[ŋ]
소리	버	드	이	러	므	느	르	브	즈	쥐	지	쯔	뜨	흐	그	응
기호	ㅂ	ㄷ	ㅣ	ㄹ	ㅁ	ㄴ	ㄹ	ㅂ	ㅈ	주	ㅈ	ㅉ	ㄸ	ㅎ	ㄱ	ㅇ

2. 무성자음

구분	[f]	[k]	[p]	[s]	[t]	[ʃ]	[tʃ]	[θ]	[ŋ]
소리	프	크	퍼	스	트/츠	쉬	취	쓰	응
기호	ㅍ	ㅋ	ㅍ	ㅅ	ㅌ/ㅊ	수	추	ㅆ	ㅇ

• t 뒤에 r이 올 경우에는 [t]가 [트]가 아닌 [츠] 소리가 납니다. 예를 들어, tree나 truck에서 t는 [츠] 소리가 납니다.

How to Use This Book

알파벳 순으로 파닉스 단어 200개를 학습할 수 있습니다. 그림을 통해 단어를 소개하고, 사선지에 맞추어 단어를 써볼 수 있으며 다양한 형식의 문제 풀이 등을 제공하고 있습니다. 또한 스스로 복습할 수 있도록 워크북과 단어장도 함께 첨부되어 있습니다.

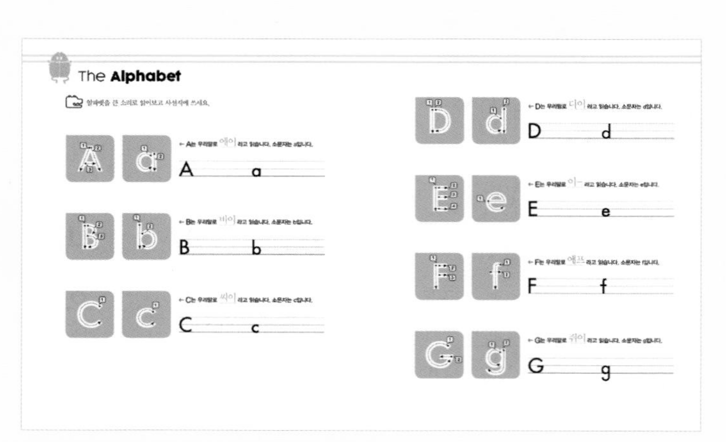

Preview

본격적인 학습 이전에 알파벳의 대문자와 소문자를 쓰는 방법을 제시하고, 사선지에 직접 써봄으로써 알파벳과 가까워질 수 있습니다.

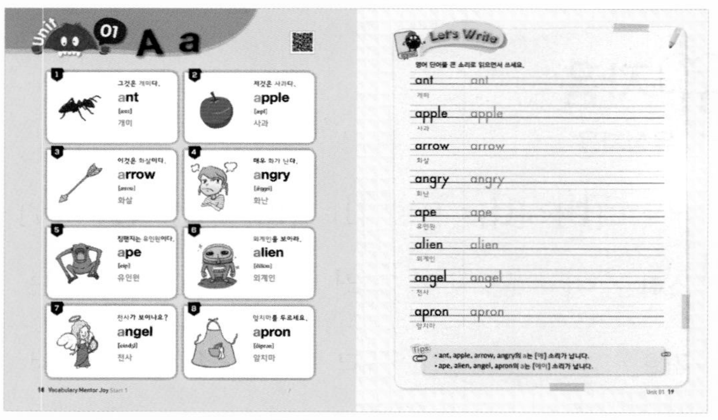

Step 1

제시된 그림과 우리말 문장을 통해 단어의 정확한 쓰임을 알 수 있습니다. 원어민의 발음을 들으며 단어의 정확한 소리를 확인할 수 있습니다. 단어를 사선지에 직접 쓰는 활동에 더불어 알파벳의 대표 소리에 관한 쉬운 설명을 통해 파닉스 단어에 좀 더 친숙해질 수 있습니다.

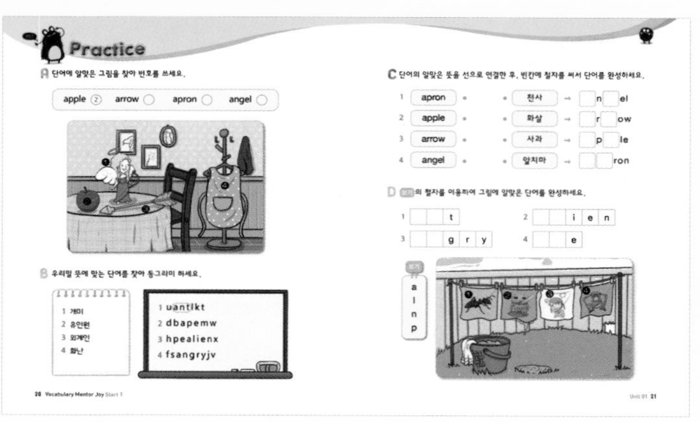

Step 2

단계적인 문제 풀이를 통해 효과적으로 단어를 학습할 수 있습니다. 단어 찾기부터 단어 완성하기까지 체계적으로 문제를 풀 수 있도록 구성하였습니다.

Step 3

문장을 활용한 문제 풀이를 통해 학습한 단어를 직접 써보게 꾸몄습니다. 영어 문장 안에서 단어의 실용적인 활용을 보여줌으로써 실용적인 회화까지 학습이 용이합니다.

Practice More

A 그림에 알맞은 단어를 보기에서 찾아 사선지에 쓰세요.

보기: ant ape apple apron arrow alien angel angry

1 매우 다. →
2 그것은 다. →
3 저것은 다. →
4 이것은 이다. →
5 침팬지는 이다. →
6 를 두르세요. →
7 가 보이나요? →
8 을 보아라. →

B 우리말과 같도록 빈칸에 알맞은 단어를 골라 문장을 완성하세요.

1 It is an ________. (ant / ape) 그것은 개미다.
2 This is an ________. (apron / arrow) 이것은 화살이다.
3 That is an ________. (apple / alien) 저것은 사과다.
4 She is very ________. (angel / angry) 그녀는 매우 화가 나 있다.
5 Wear an ________, please. (apron / arrow) 앞치마를 두르세요.
6 A chimpanzee is an ________. (ant / ape) 침팬지는 유인원이다.
7 Look at the ________. (apple / alien) 그 외계인을 보아라.
8 Do you see an ________? (angel / angry) 당신은 천사가 보이나요?

22 Vocabulary Mentor Joy Start 1 | Unit 01 23

Step 4

유닛 5개가 끝나면 학습한 40개의 단어를 다시 한 번 확인할 수 있도록 리뷰 파트가 제공됩니다. 리뷰를 통해서 단어를 반복 학습할 수 있습니다.

Review Unit 01-05

A 다음 영어 단어의 우리말 뜻을 쓰세요.

1 apple → 2 dish → 3 chess → 4 black → 5 apron → 6 dress → 7 eagle → 8 camera → 9 angel → 10 cherry → 11 drive → 12 engine →

B 다음 우리말 뜻에 맞는 영어 단어를 완성하세요.

1 개미 → _n_ 2 개 → _o_ 3 달걀 → _g_ 4 고양이 → _a_ 5 방망이 → _a_ 6 유인원 → _p_ 7 먹다 → __t 8 야구모자 → _a_ 9 파란(색) → __ue 10 북 → __um 11 아기 → __by 12 사슬 → __ain

C 우리말과 같도록 괄호 안에서 알맞은 단어에 동그라미 하세요.

1 이것은 화살이다. → This is an (arrow / blank).
2 8시다. → It is (angry / eight) o'clock.
3 그는 의사다. → He is a (doctor / banana).
4 그 아이는 키가 크다. → The (child / alien) is tall.
5 그 용은 무섭게 생겼다. → The (camel / dragon) looks scary.
6 우리는 믹서가 필요하다. → We need a (blender / camera).
7 그것은 아기 코끼리다. → It is a baby (eagle / elephant).

D 우리말과 같도록 문장에 알맞은 단어를 완성하세요.

1 주사위를 던져라. → Roll a _ i c _.
2 빈칸을 채워라. → Fill in the _ _ a n k.
3 그들은 낙타를 탄다. → They ride a _ a _ e l.
4 어느 쪽이 동쪽이에요? → Which way is _ _ s t?
5 그녀는 매우 화가 나 있다. → She is very _ n _ r y.
6 나는 바나나 한 개가 있다. → I have a _ a _ a n a.
7 그 그림은 선반 위에 있다. → The picture is on the _ _ s e l.

48 Vocabulary Mentor Joy Start 1 | Review Unit 01-05 49

Step 5

제공된 워크북과 단어쓰기 노트는 학생 스스로 단어를 학습할 수 있도록 하였습니다. 수업시간에 배운 단어를 집에서 복습할 수 있습니다.

UNIT 01

보기: ape ant alien arrow apple angel apron angry

A 우리말 뜻을 보고 알맞은 단어를 보기에서 찾아 쓰세요.

1 개미 → 2 사과 → 3 유인원 → 4 외계인 → 5 화살 → 6 화난 → 7 천사 → 8 앞치마 →

B 우리말과 같도록 보기에서 알맞은 단어를 찾아 문장을 완성하세요.

1 그녀는 매우 화가 나 있다. → She is very ________.
2 그것은 개미다. → It is an ________.
3 저것은 사과다. → That is an ________.
4 이것은 화살이다. → This is an ________.
5 침팬지는 유인원이다. → A chimpanzee is an ________.
6 그 외계인을 보아라. → Look at the ________.
7 앞치마를 두르세요. → Wear an ________, please.
8 당신은 천사가 보이나요? → Do you see an ________?

2 Vocabulary Mentor Joy Start 1

UNIT 01

다음 단어의 우리말 뜻을 쓰고, 영어로 4번씩 반복해서 쓰세요.

1 ant 2 apple 3 arrow 4 angry
개미
ant
5 ape 6 alien 7 angel 8 apron

2 Vocabulary Mentor Joy Start 1

The **Alphabet**

알파벳을 큰 소리로 읽어보고 사선지에 쓰세요.

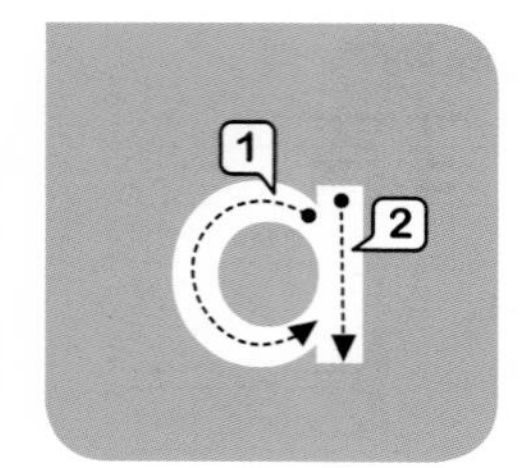

← A는 우리말로 에이 라고 읽습니다. 소문자는 a입니다.

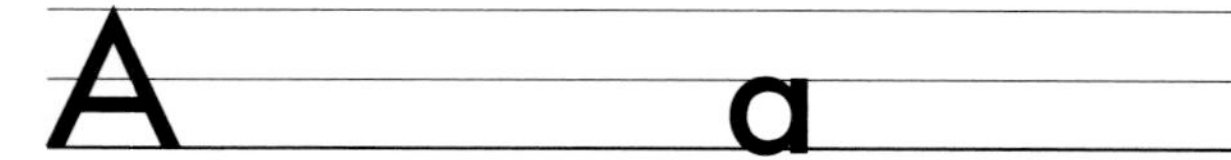

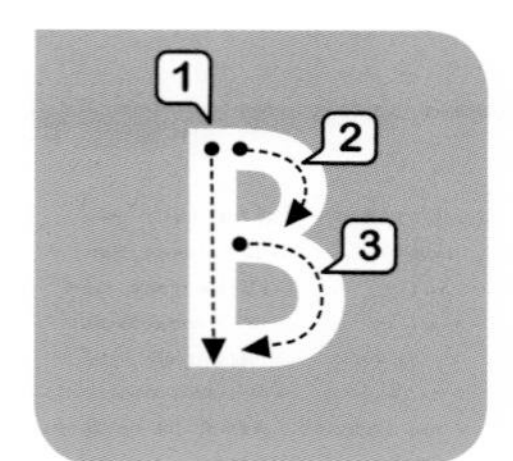
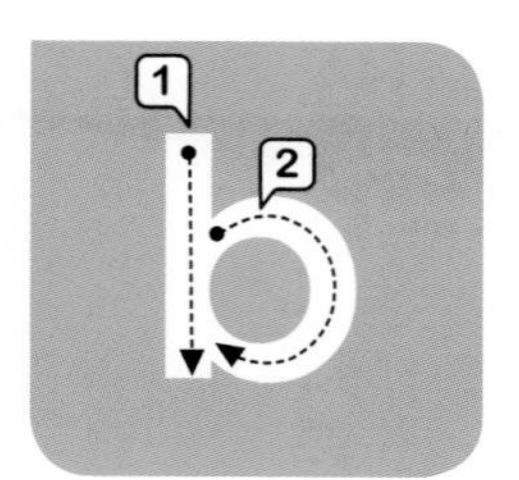

← B는 우리말로 비이 라고 읽습니다. 소문자는 b입니다.

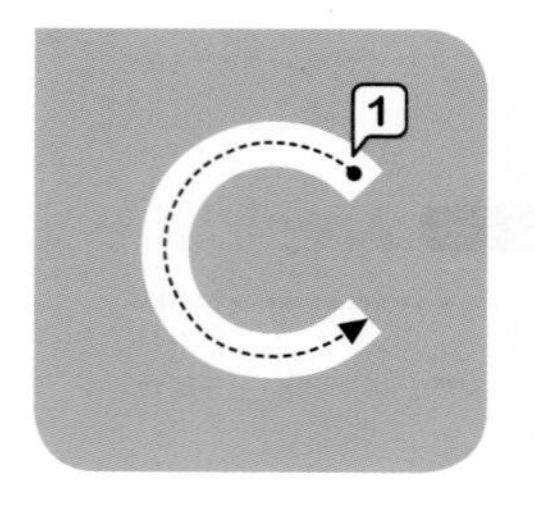
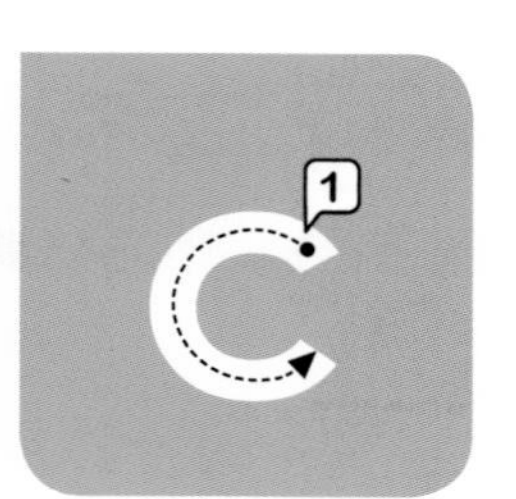

← C는 우리말로 씨이 라고 읽습니다. 소문자는 c입니다.

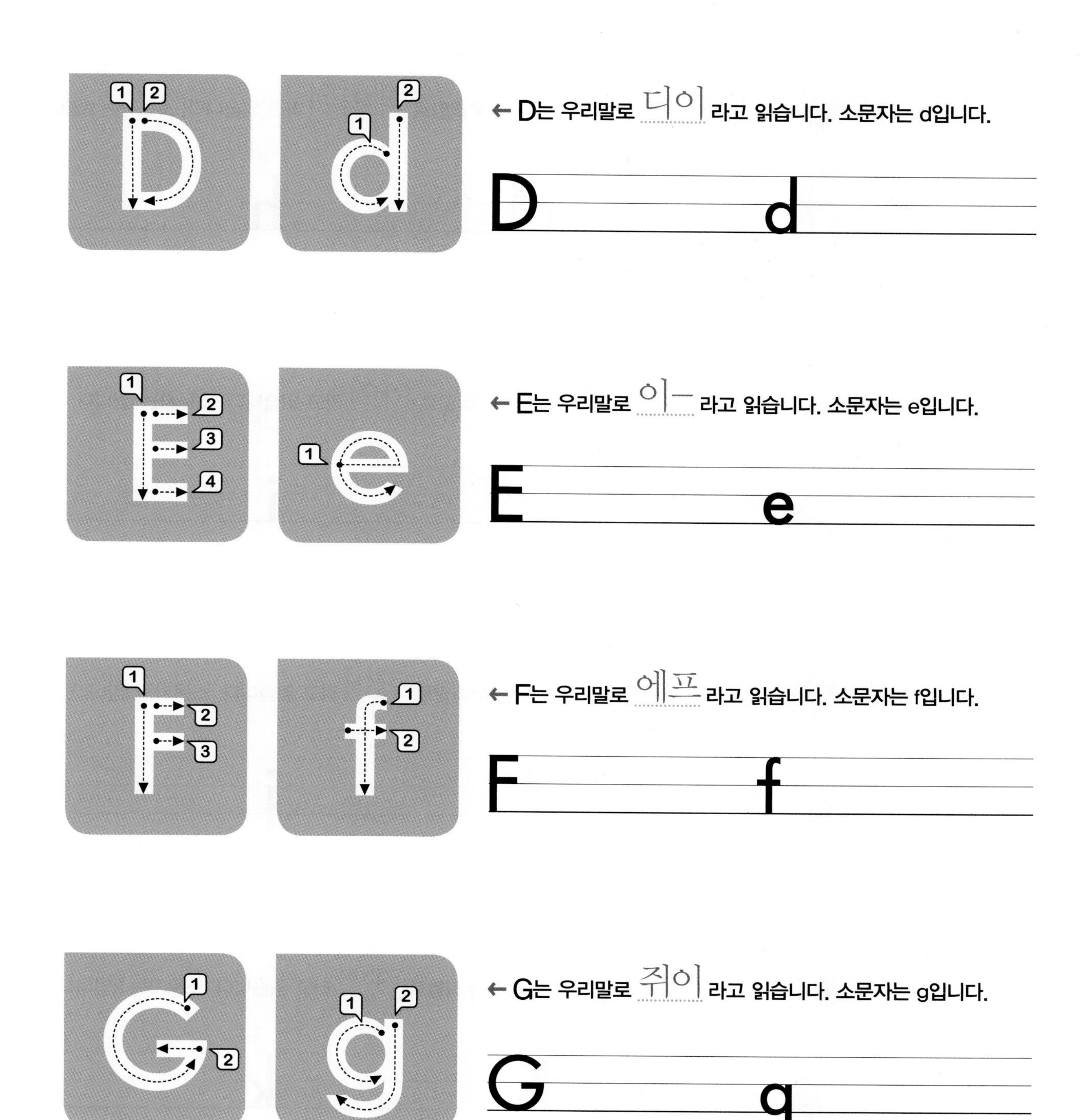
← D는 우리말로 디이 라고 읽습니다. 소문자는 d입니다.
D d
← E는 우리말로 이― 라고 읽습니다. 소문자는 e입니다.
E e
← F는 우리말로 에프 라고 읽습니다. 소문자는 f입니다.
F f
← G는 우리말로 쥐이 라고 읽습니다. 소문자는 g입니다.
G g

The **Alphabet**

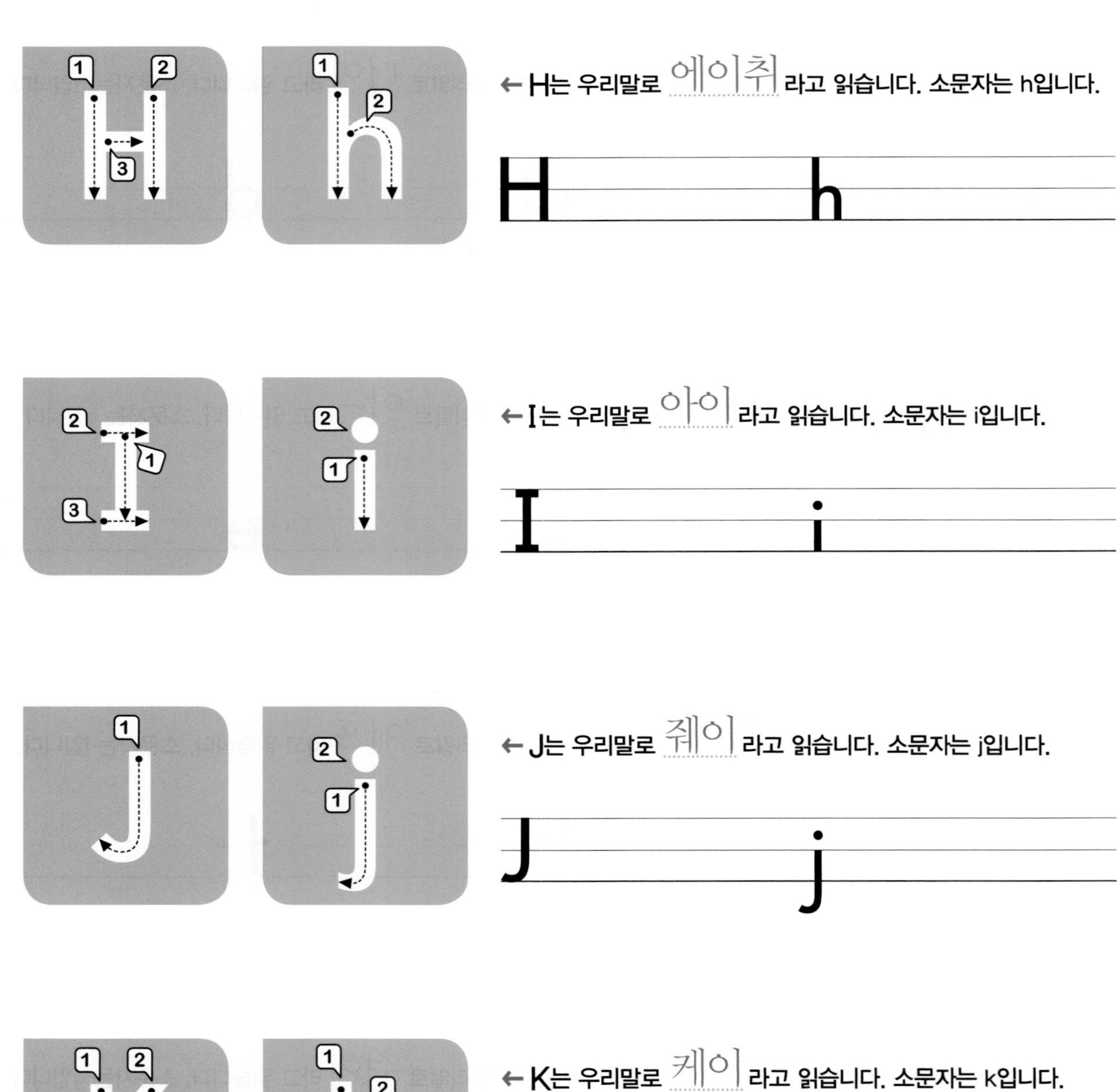

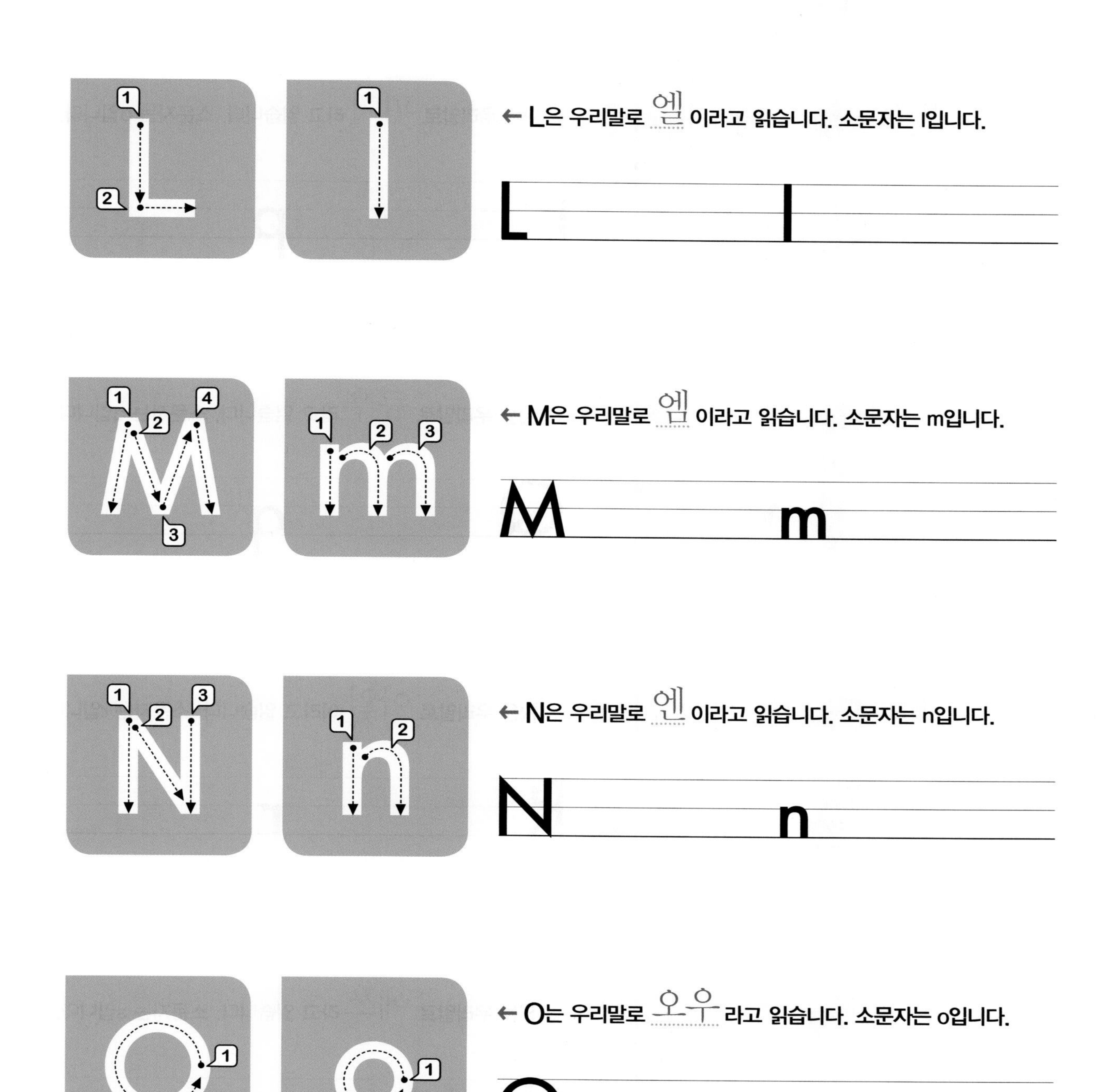

← L은 우리말로 엘 이라고 읽습니다. 소문자는 l입니다.
← M은 우리말로 엠 이라고 읽습니다. 소문자는 m입니다.
← N은 우리말로 엔 이라고 읽습니다. 소문자는 n입니다.
← O는 우리말로 오우 라고 읽습니다. 소문자는 o입니다.

The **Alphabet**

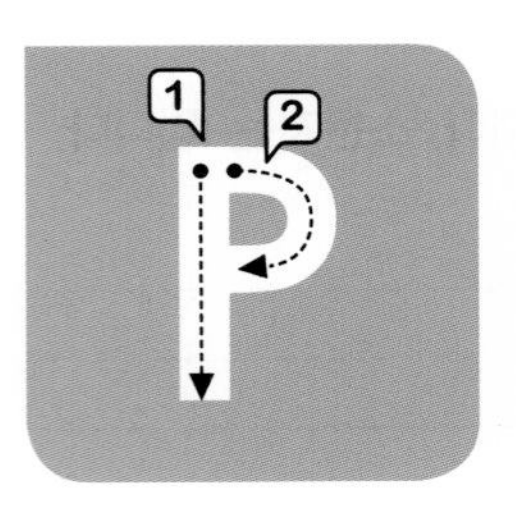

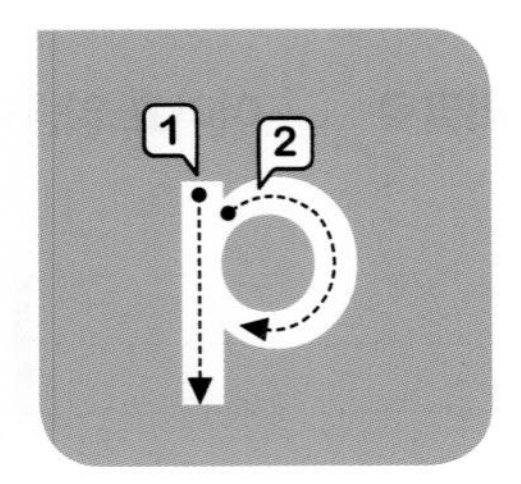

← P는 우리말로 피이 라고 읽습니다. 소문자는 p입니다.

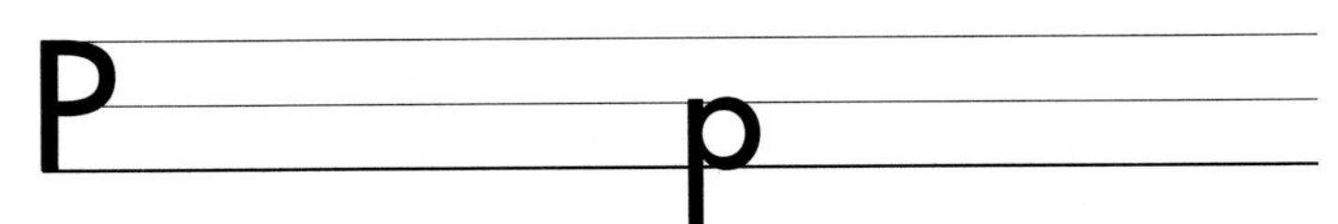

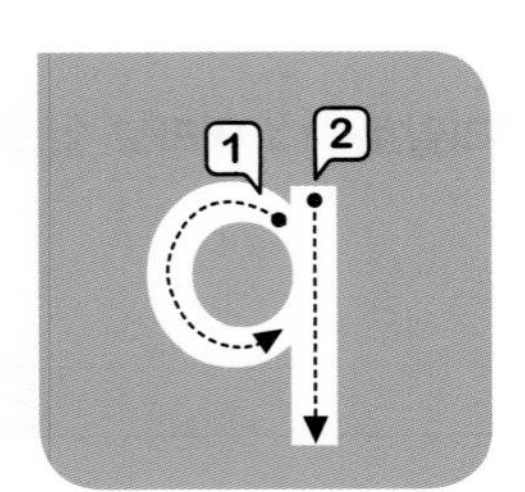

← Q는 우리말로 큐우 라고 읽습니다. 소문자는 q입니다.

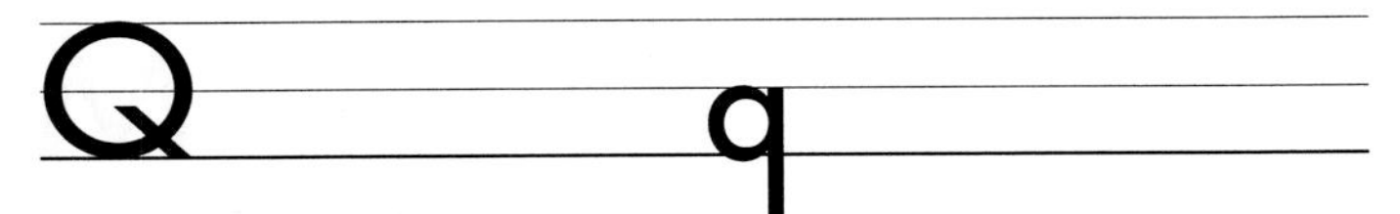

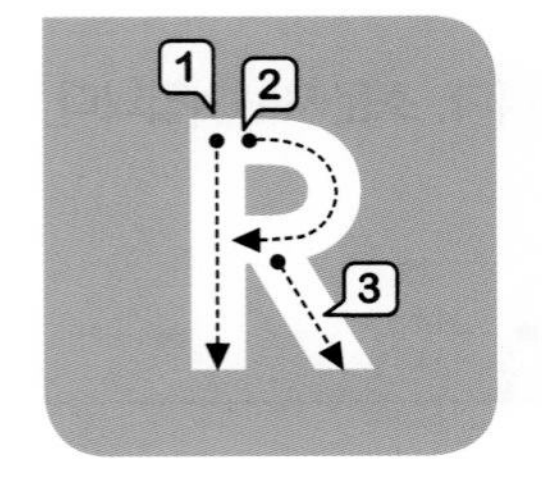

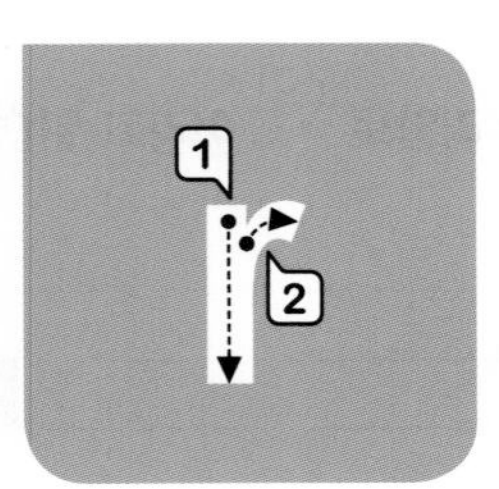

← R은 우리말로 아알 이라고 읽습니다. 소문자는 r입니다.

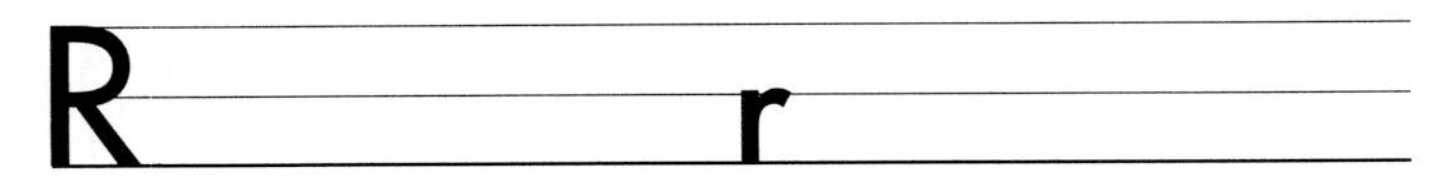

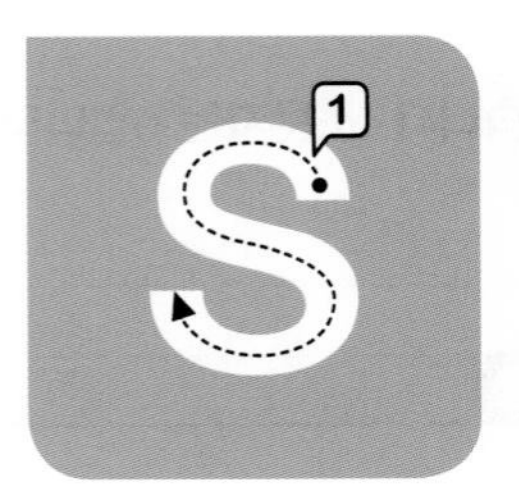

← S는 우리말로 에쓰 라고 읽습니다. 소문자는 s입니다.

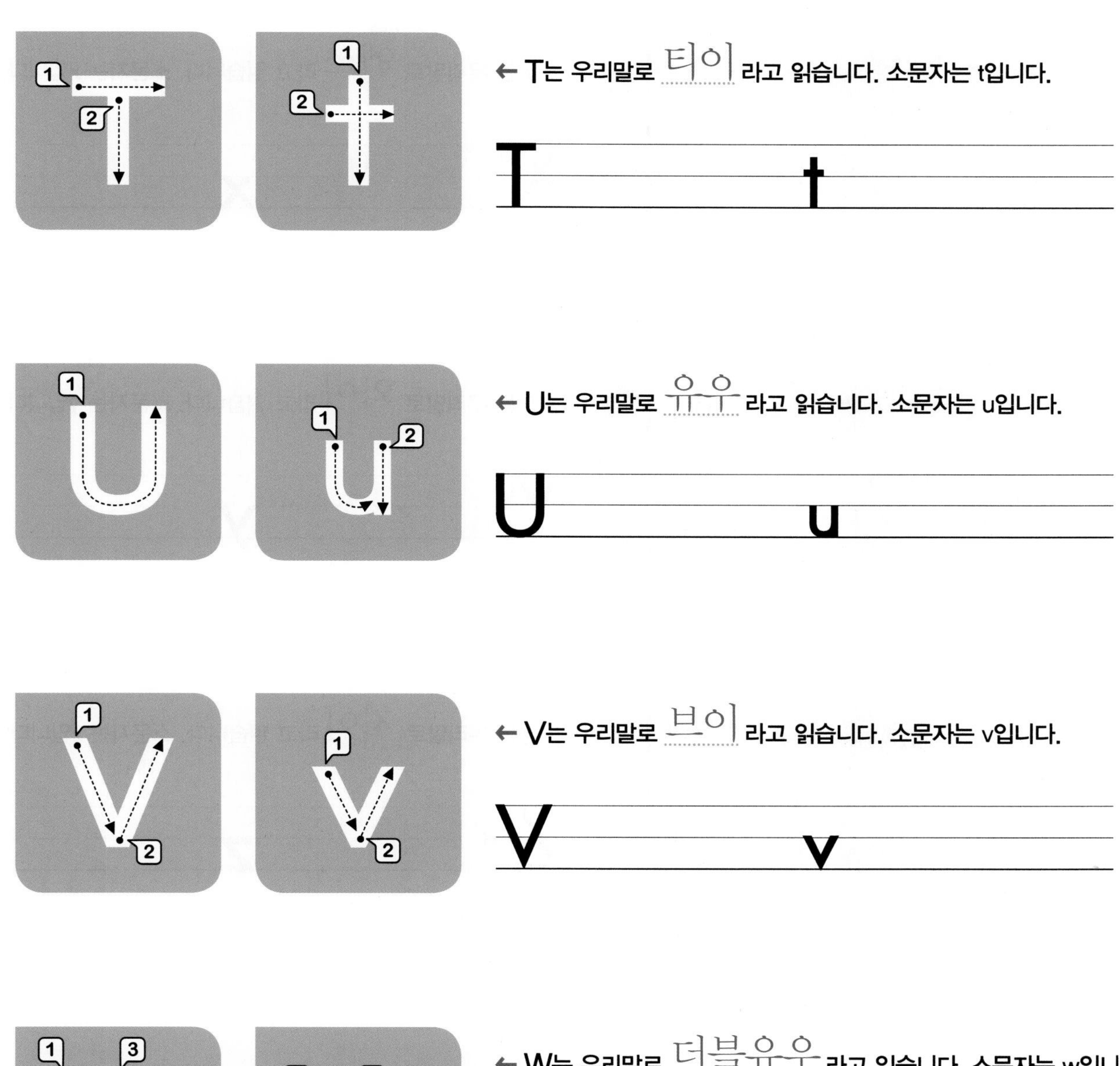

← T는 우리말로 티이 라고 읽습니다. 소문자는 t입니다.

← U는 우리말로 유우 라고 읽습니다. 소문자는 u입니다.

← V는 우리말로 브이 라고 읽습니다. 소문자는 v입니다.

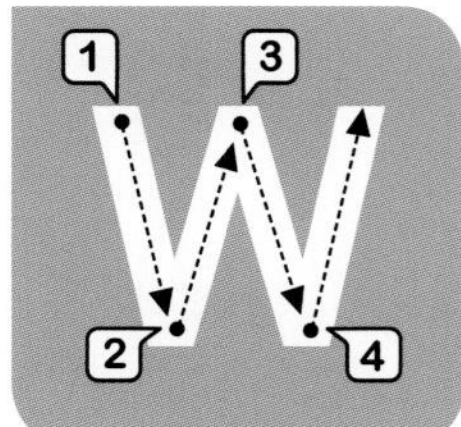

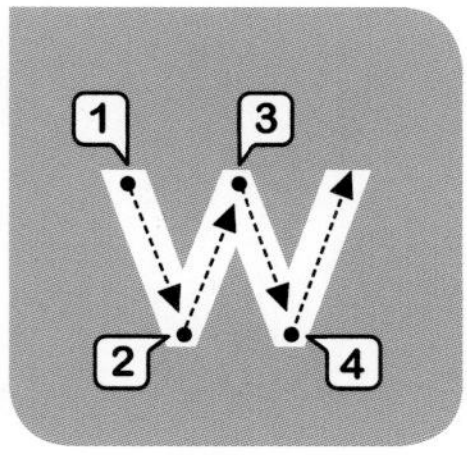

← W는 우리말로 더블유우 라고 읽습니다. 소문자는 w입니다.

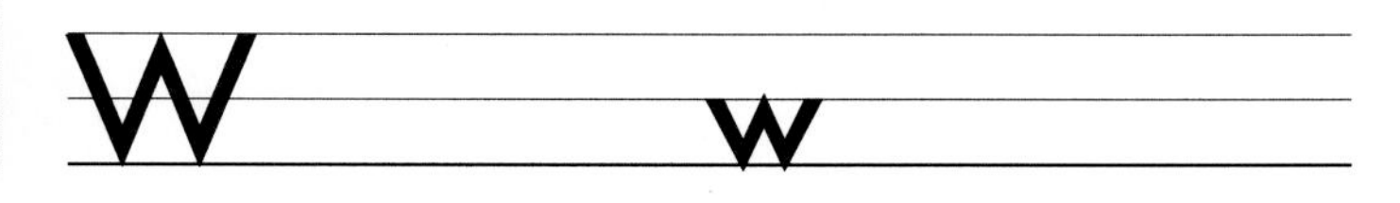

The **Alphabet**

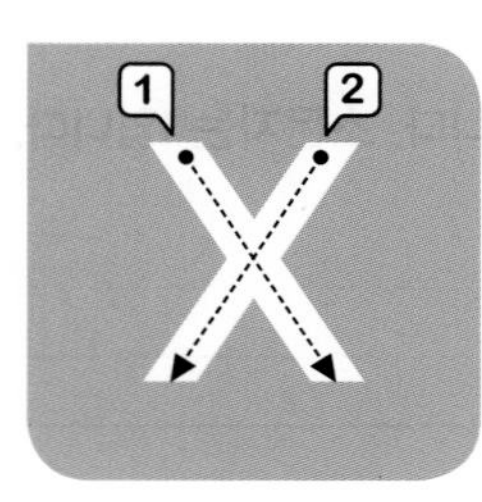

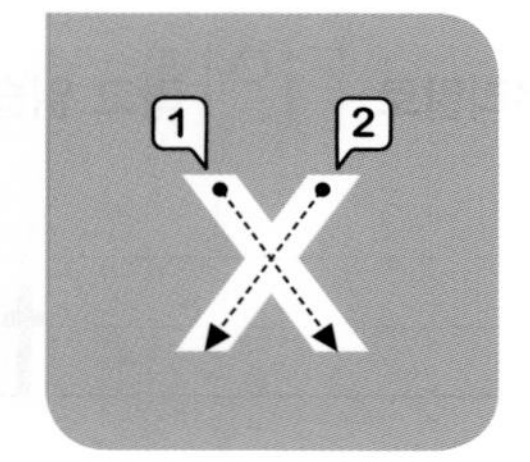

← X는 우리말로 엑쓰 라고 읽습니다. 소문자는 x입니다.

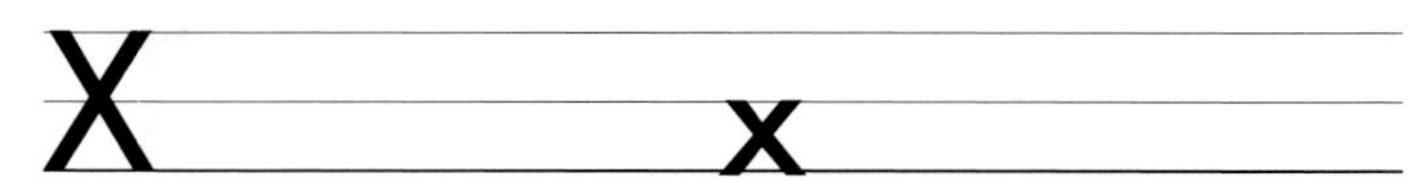

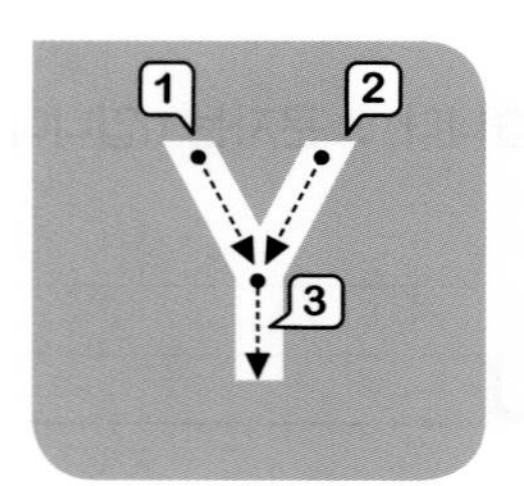

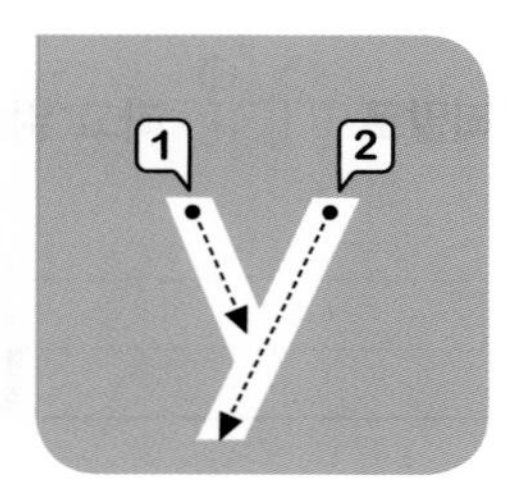

← Y는 우리말로 와이 라고 읽습니다. 소문자는 y입니다.

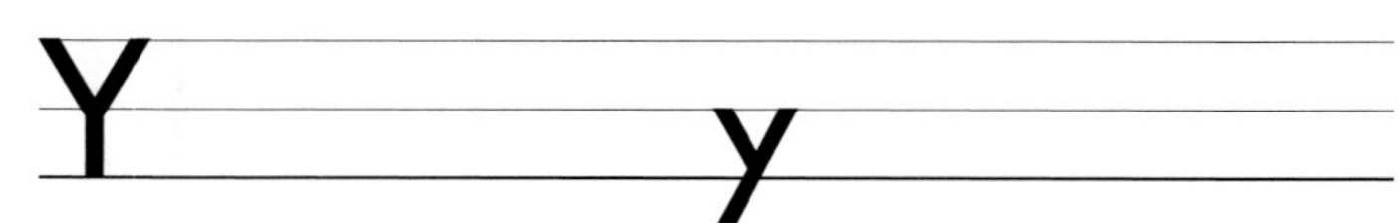

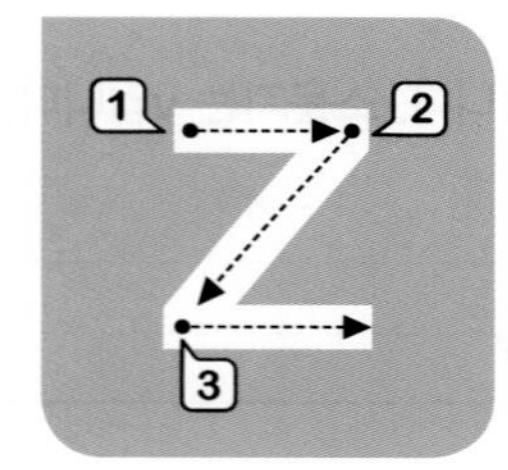

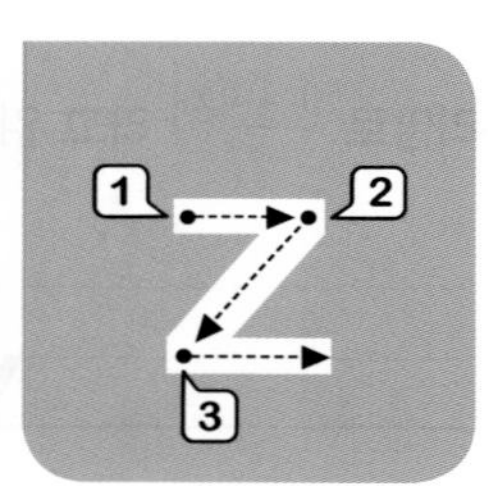

← Z는 우리말로 지이 라고 읽습니다. 소문자는 z입니다.

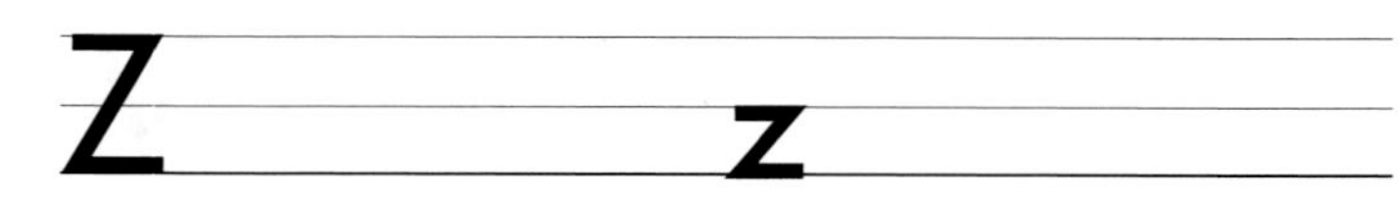

알파벳을 큰 소리로 읽어보고 사선지에 쓰세요.

A a B b C c D d E e

F f G g H h I i J j

K k L l M m N n O o

P p Q q R r S s T t

U u V v W w X x Y y

Z z

Contents

Phonics Words

Unit 01 A a

1

그것은 개미다.

ant

[ænt]

개미

2

저것은 사과다.

apple

[æpl]

사과

3

이것은 화살이다.

arrow

[ærou]

화살

4

매우 화가 난다.

angry

[ǽŋgri]

화난

5

침팬지는 유인원이다.

ape

[eip]

유인원

6

외계인을 보아라.

alien

[éiliən]

외계인

7

천사가 보이나요?

angel

[eindʒl]

천사

8

앞치마를 두르세요.

apron

[éiprən]

앞치마

영어 단어를 큰 소리로 읽으면서 쓰세요.

ant ant
개미

apple apple
사과

arrow arrow
화살

angry angry
화난

ape ape
유인원

alien alien
외계인

angel angel
천사

apron apron
앞치마

- ant, apple, arrow, angry의 a는 [애] 소리가 납니다.
- ape, alien, angel, apron의 a는 [에이] 소리가 납니다.

A 단어에 알맞은 그림을 찾아 번호를 쓰세요.

apple (2) arrow ( ) apron ( ) angel ( )

B 우리말 뜻에 맞는 단어를 찾아 동그라미 하세요.

1 개미
2 유인원
3 외계인
4 화난

1 uantlkt
2 dbapemw
3 hpealienx
4 fsangryjv

C 단어의 알맞은 뜻을 선으로 연결한 후, 빈칸에 철자를 써서 단어를 완성하세요.

	단어		뜻		철자
1	apron	● ●	천사	→	☐ n ☐ el
2	apple	● ●	화살	→	☐ r ☐ ow
3	arrow	● ●	사과	→	☐ p ☐ le
4	angel	● ●	앞치마	→	☐ ☐ ron

D 보기 의 철자를 이용하여 그림에 알맞은 단어를 완성하세요.

1 ☐ ☐ t

2 ☐ ☐ i e n

3 ☐ ☐ g r y

4 ☐ ☐ e

보기

a

l

n

p

A 그림에 알맞은 단어를 보기에서 찾아 사선지에 쓰세요.

보기

ant	ape	apple	apron
arrow	alien	angel	angry

1 매우 다. →

2 그것은 다. →

3 저것은 다. →

4 이것은 이다. →

5 침팬지는 이다. →

6 를 두르세요. →

7 가 보이나요? →

8 을 보아라. →

B 우리말과 같도록 빈칸에 알맞은 단어를 골라 문장을 완성하세요.

1 It is an ____________________. 그것은 개미다.
(ant / ape)

2 This is an ____________________. 이것은 화살이다.
(apron / arrow)

3 That is an ____________________. 저것은 사과다.
(apple / alien)

4 She is very ____________________. 그녀는 매우 화가 나 있다.
(angel / angry)

5 Wear an ____________________, please. 앞치마를 두르세요.
(apron / arrow)

6 A chimpanzee is an ____________________. 침팬지는 유인원이다.
(ant / ape)

7 Look at the ____________________. 그 외계인을 보아라.
(apple / alien)

8 Do you see an ____________________? 당신은 천사가 보이나요?
(angel / angry)

Unit 02 B b

1

야구 방망이다.

bat

[bæt]

방망이

아기가 운다.

baby

[béibi]

아기

바나나가 있다.

banana

[bənǽnə]

바나나

나의 단추다.

button

[bʌ́tən]

단추

하늘이 파랗다.

blue

[bluː]

파란(색)

자동차가 검다.

black

[blæk]

검은(색)

I'm " ______ "

빈칸을 채워라.

blank

[blæŋk]

빈칸

믹서가 필요하다.

blender

[bléndər]

믹서

영어 단어를 큰 소리로 읽으면서 쓰세요.

bat bat
방망이

baby baby
아기

banana banana
바나나

button button
단추

blue blue
파란(색)

black black
검은(색)

blank blank
빈칸

blender blender
믹서

Tips
• bat, baby, banana, button의 b는 [버]와 비슷한 소리가 납니다.
• blue, black, blank, blender에서 bl은 [블르]와 비슷한 소리가 납니다.

A 단어에 알맞은 그림을 찾아 번호를 쓰세요.

bat ◯ blue ◯ black ◯ button ◯

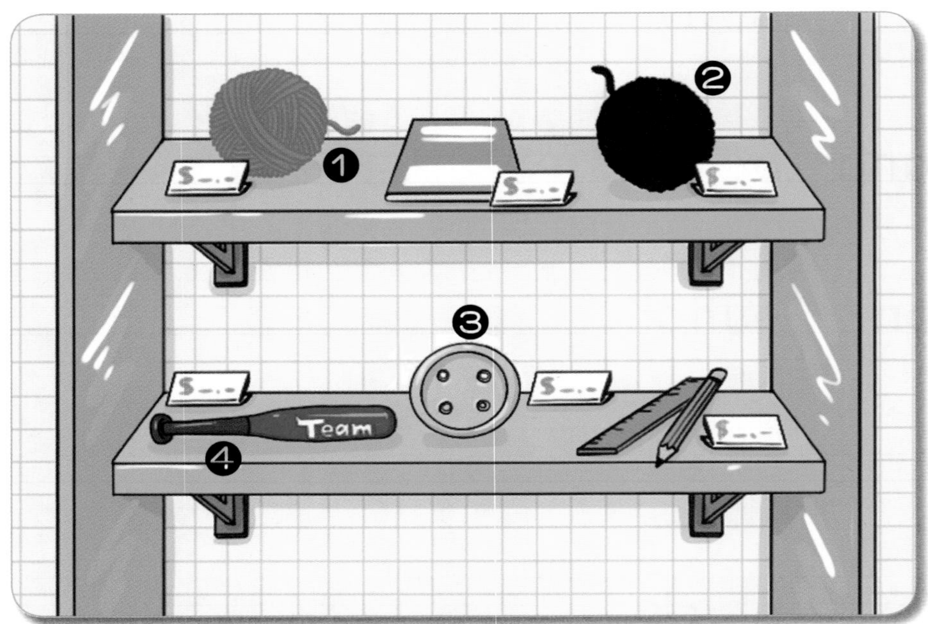

B 우리말 뜻에 맞는 단어를 찾아 동그라미 하세요.

1 아기
2 빈칸
3 바나나
4 믹서

1 wbabyczi
2 dkblankt
3 bananaxfe
4 ghblender

C 단어의 알맞은 뜻을 선으로 연결한 후, 빈칸에 철자를 써서 단어를 완성하세요.

	단어		뜻		철자
1	blue	•	단추	→	☐u☐ton
2	black	•	파란(색)	→	☐☐ue
3	bat	•	검은(색)	→	☐☐ack
4	button	•	방망이	→	☐a☐

D 보기 의 철자를 이용하여 그림에 알맞은 단어를 완성하세요.

1 | | a | b | |

2 | | | e | n | d | e | r |

3 | | | a | n | k |

4 | | a | n | a | | a |

보기

b

l

n

y

❶ ❷ ❸ ❹

Practice More

A 그림에 알맞은 단어를 보기에서 찾아 사선지에 쓰세요.

보기

bat	baby	banana	button
blue	black	blank	blender

1 하늘이 다. →

2 가 운다. →

3 I'm " ______ " 을 채워라. →

4 야구 Team 다. →

5 자동차가 다. →

6 가 있다. →

7 가 필요하다. →

8 나의 다. →

B 우리말과 같도록 빈칸에 알맞은 단어를 골라 문장을 완성하세요.

1 It is a baseball ____________. 그것은 야구 방망이다.
(bat / blue)

2 The ____________ is crying. 그 아기는 울고 있다.
(baby / black)

3 The sky is ____________. 하늘이 파랗다.
(bat / blue)

4 The car is ____________. 그 자동차는 검다.
(baby / black)

5 This is my ____________. 이것은 나의 단추다.
(blank / button)

6 I have a ____________. 나는 바나나 한 개가 있다.
(banana / blender)

7 Fill in the ____________. 빈칸을 채워라.
(blank / button)

8 We need a ____________. 우리는 믹서가 필요하다.
(banana / blender)

Unit 03 C c

1

고양이가 사랑스럽다.

cat

[kæt]

고양이

2

너의 야구모자다.

cap

[kæp]

야구모자

3

낙타를 탄다.

camel

[kǽməl]

낙타

4

카메라가 낡았다.

camera

[kǽmərə]

카메라

5

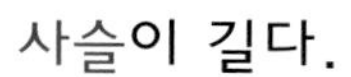

사슬이 길다.

chain

[tʃein]

사슬

6

체스를 할 줄 안다.

chess

[tʃes]

체스

7

아이가 키가 크다.

child

[tʃaild]

아이

8

체리를 좋아한다.

cherry

[tʃéri]

체리

영어 단어를 큰 소리로 읽으면서 쓰세요.

cat cat
고양이

cap cap
야구모자

camel camel
낙타

camera camera
카메라

chain chain
사슬

chess chess
체스

child child
아이

cherry cherry
체리

- cat, cap, camel, camera의 c는 [크]와 비슷한 소리가 납니다.
- chain, chess, child, cherry에서 ch는 [취]와 비슷한 소리가 납니다.

A 단어에 알맞은 그림을 찾아 번호를 쓰세요.

cat ◯ child ◯ cherry ◯ camel ◯

B 우리말 뜻에 맞는 단어를 찾아 동그라미 하세요.

1 체스
2 사슬
3 카메라
4 야구모자

1 k c h e s s b m
2 p k b c h a i n
3 c a m e r a x v e
4 r g d t c a p u f

C 단어의 알맞은 뜻을 선으로 연결한 후, 빈칸에 철자를 써서 단어를 완성하세요.

D 보기 의 철자를 이용하여 그림에 알맞은 단어를 완성하세요.

1 | □ | a | □ |

2 | □ | □ | e | s | s |

3 | □ | a | m | e | □ | a |

4 | □ | □ | a | i | n |

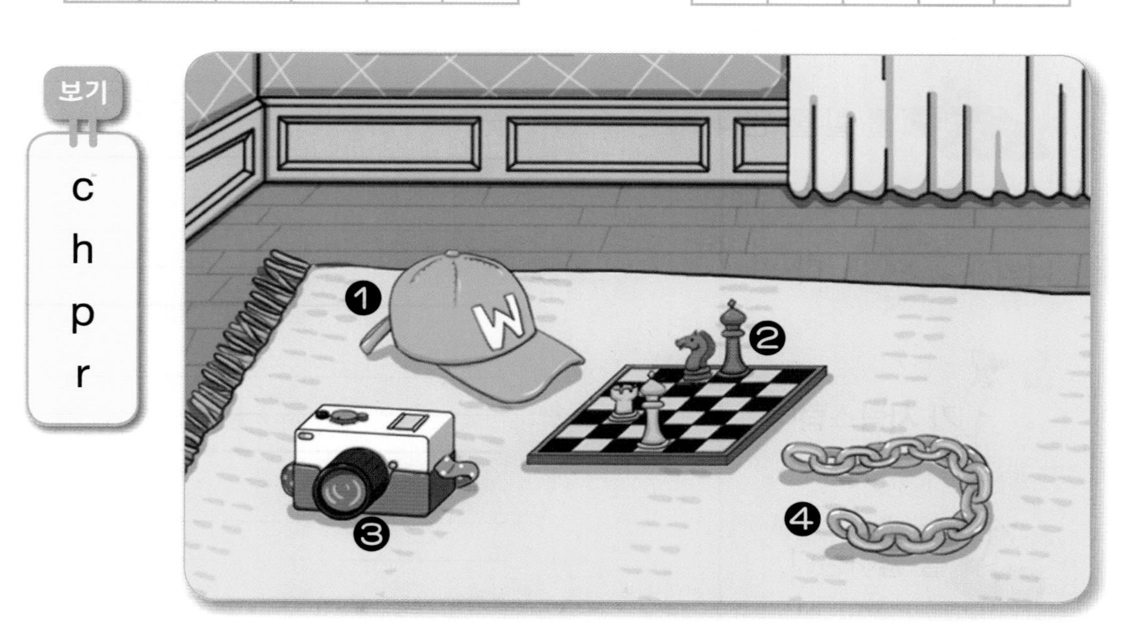

A 그림에 알맞은 단어를 보기에서 찾아 사선지에 쓰세요.

보기

cat	cap	camel	camera
chain	chess	child	cherry

1 이 길다. →

2 를 탄다. →

3 가 키가 크다. →

4 가 낡았다. →

5 를 할 줄 안다. →

6 너의 다. →

7 가 사랑스럽다. →

8 를 좋아한다. →

B 우리말과 같도록 빈칸에 알맞은 단어를 골라 문장을 완성하세요.

1 That is your ______________. 저것은 너의 야구모자다.
(cat / cap)

2 I can play ______________. 나는 체스를 할 줄 안다.
(chess / chain)

3 The ______________ is lovely. 그 고양이는 사랑스럽다.
(cat / cap)

4 The ______________ is long. 그 사슬은 길다.
(chess / chain)

5 They ride a ______________. 그들은 낙타를 탄다.
(camera / camel)

6 I like ______________ pie. 나는 체리파이를 좋아한다.
(child / cherry)

7 The ______________ is old. 그 카메라는 낡았다.
(camera / camel)

8 The ______________ is tall. 그 아이는 키가 크다.
(child / cherry)

Unit 04 D d

개가 똑똑하다.

dog

[dɔːg]

개

접시가 깨끗하다.

dish

[diʃ]

접시

주사위를 던져라.

dice

[dais]

주사위

그는 의사다.

doctor

[dɑ́ktər]

의사

5

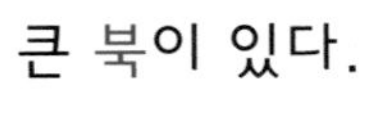

큰 북이 있다.

drum

[drʌm]

북

운전할 수 있나요?

drive

[draiv]

운전하다

7

드레스가 좋다.

dress

[dres]

드레스

8

용이 무섭게 생겼다.

dragon

[drǽgən]

용

영어 단어를 큰 소리로 읽으면서 쓰세요.

dog dog
개

dish dish
접시

dice dice
주사위

doctor doctor
의사

drum drum
북

drive drive
운전하다

dress dress
드레스

dragon dragon
용

- dog, dish, dice, doctor의 d는 [드]와 비슷한 소리가 납니다.
- drum, drive, dress, dragon에서 dr은 [드르]와 비슷한 소리가 납니다.

A 단어에 알맞은 그림을 찾아 번호를 쓰세요.

dog ◯ drum ◯ dice ◯ dragon ◯

B 우리말 뜻에 맞는 단어를 찾아 동그라미 하세요.

1 접시
2 의사
3 운전하다
4 드레스

1 dishcpou
2 zdoctorm
3 fnwdrivek
4 ghjcdress

C 단어의 알맞은 뜻을 선으로 연결한 후, 빈칸에 철자를 써서 단어를 완성하세요.

1	dog	북	→ □□um
2	dice	개	→ □o□
3	drum	용	→ □□agon
4	dragon	주사위	→ □ic□

D 보기의 철자를 이용하여 그림에 알맞은 단어를 완성하세요.

1 □ □ s h

2 □ o c □ o r

3 □ □ i v e

4 □ □ e s s

보기

d
i
r
t

Practice More

A 그림에 알맞은 단어를 보기에서 찾아 사선지에 쓰세요.

보기
dog	dish	dice	drum
dress	drive	dragon	doctor

1 (그림)가 똑똑하다. →

2 (그림)가 깨끗하다. →

3 큰 (그림)이 있다. →

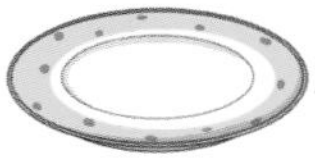

4 (그림)가 좋다. →

5 (그림)를 던져라. →

6 (그림) 수 있나요? →

7 (그림)이 무섭게 생겼다. →

8 그는 (그림)다. →

B 우리말과 같도록 빈칸에 알맞은 단어를 골라 문장을 완성하세요.

1 Roll a ________________. 주사위를 던져라.
(dog / dice)

2 I have a big ________________. 나는 큰 북이 있다.
(drum / dress)

3 The ________________ is smart. 그 개는 똑똑하다.
(dog / dice)

4 This ________________ is clean. 이 접시는 깨끗하다.
(dish / doctor)

5 I like this ________________. 나는 이 드레스가 좋다.
(drum / dress)

6 Can you ________________? 당신은 운전할 수 있나요?
(drive / dragon)

7 He is a ________________. 그는 의사다.
(dish / doctor)

8 The ________________ looks scary. 그 용은 무섭게 생겼다.
(drive / dragon)

Unit 05 E e

1

달걀 프라이를 해.

egg

[eg]

달걀

2

8시다.

eight

[eit]

8, 여덟

3

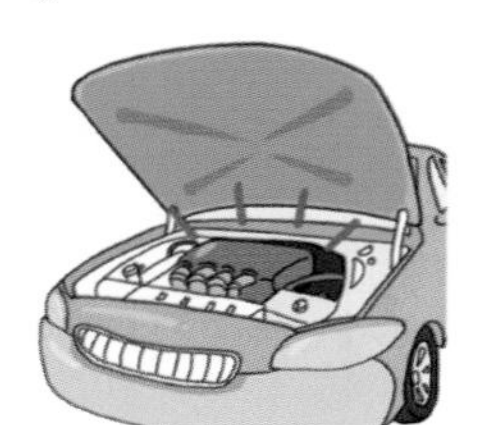

엔진이 멈춘다.

engine

[éndʒin]

엔진

4

아기 코끼리다.

elephant

[éləfənt]

코끼리

5

저녁을 먹자.

eat

[iːt]

먹다

6

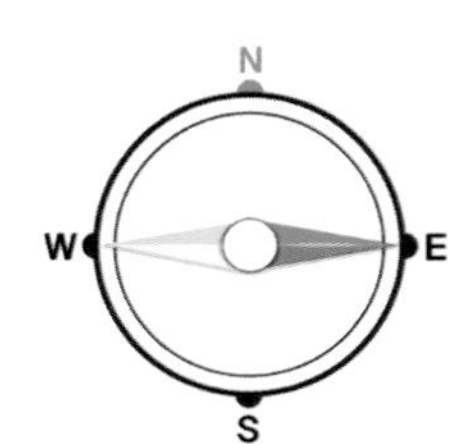

어디가 동쪽이에요?

east

[iːst]

동쪽

7

독수리가 난다.

eagle

[íːgl]

독수리

8

이젤 위에 있다.

easel

[íːzəl]

이젤

영어 단어를 큰 소리로 읽으면서 쓰세요.

egg egg
달걀

eight eight
8, 여덟

engine engine
엔진

elephant elephant
코끼리

eat eat
먹다

east east
동쪽

eagle eagle
독수리

easel easel
이젤

- egg, eight, engine, elephant의 e는 [에] 소리가 납니다.
- eat, east, eagle, easel에서 ea는 길게 [이-] 소리가 납니다.

A 단어에 알맞은 그림을 찾아 번호를 쓰세요.

egg ◯ east ◯ eight ◯ easel ◯

B 우리말 뜻에 맞는 단어를 찾아 동그라미 하세요.

1 먹다
2 엔진
3 독수리
4 코끼리

1 p c e a t i h s
2 v u e n g i n e
3 k j e a g l e m q
4 e l e p h a n t w

C 단어의 알맞은 뜻을 선으로 연결한 후, 빈칸에 철자를 써서 단어를 완성하세요.

1	egg	동쪽	→	☐☐st
2	east	달걀	→	☐g☐
3	easel	8, 여덟	→	☐igh☐
4	eight	이젤	→	☐☐sel

D 보기 의 철자를 이용하여 그림에 알맞은 단어를 완성하세요.

1 | ☐ | ☐ | t |

2 | ☐ | n | g | ☐ | n | e |

3 | ☐ | ☐ | g | l | e |

4 | ☐ | l | e | p | h | a | n | ☐ |

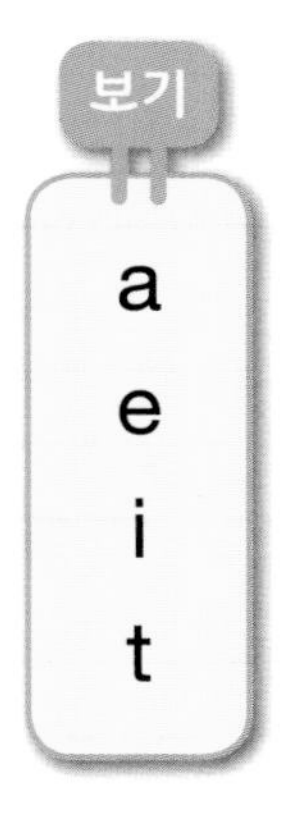

Practice More

A 그림에 알맞은 단어를 보기에서 찾아 사선지에 쓰세요.

보기

egg	eight	engine	elephant
eat	east	eagle	easel

1  시다. →

2 저녁을  자. →

3  프라이를 해. →

4 어디가 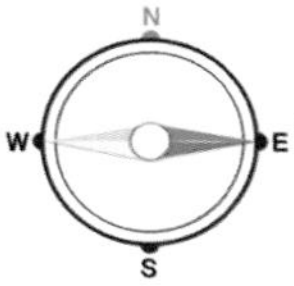 이에요? →

5  가 난다. →

6 아기  다. →

7  이 멈춘다. →

8  위에 있다. →

B 우리말과 같도록 빈칸에 알맞은 단어를 골라 문장을 완성하세요.

1 Fry an ______________. 달걀 프라이를 해라.
(egg / eat)

2 It is ______________ o'clock. 8시다.
(eight / easel)

3 Which way is ______________? 어느 쪽이 동쪽이에요?
(east / engine)

4 An ______________ is flying. 독수리 한 마리가 날고 있다.
(eagle / elephant)

5 Let's ______________ dinner. 저녁을 먹자.
(egg / eat)

6 The picture is on the ______________. 그 그림은 이젤 위에 있다.
(eight / easel)

7 The ______________ doesn't work. 그 엔진은 작동하지 않는다.
(east / engine)

8 It is a baby ______________. 그것은 아기 코끼리다.
(eagle / elephant)

Review

A 다음 영어 단어의 우리말 뜻을 쓰세요.

1 apple → [ ]
2 dish → [ ]
3 chess → [ ]
4 black → [ ]
5 apron → [ ]
6 dress → [ ]
7 eagle → [ ]
8 camera → [ ]
9 angel → [ ]
10 cherry → [ ]
11 drive → [ ]
12 engine → [ ]

B 다음 우리말 뜻에 맞는 영어 단어를 완성하세요.

1 개미 → [ ] n [ ]
2 개 → [ ] o [ ]
3 달걀 → [ ] g [ ]
4 고양이 → [ ] a [ ]
5 방망이 → [ ] a [ ]
6 유인원 → [ ] p [ ]
7 먹다 → [ ] [ ] t
8 야구모자 → [ ] a [ ]
9 파란(색) → [ ] [ ] ue
10 북 → [ ] [ ] um
11 아기 → [ ] [ ] by
12 사슬 → [ ] [ ] ain

C 우리말과 같도록 괄호 안에서 알맞은 단어에 동그라미 하세요.

1 이것은 화살이다. → This is an (arrow / blank).

2 8시다. → It is (angry / eight) o'clock.

3 그는 의사다. → He is a (doctor / banana).

4 그 아이는 키가 크다. → The (child / alien) is tall.

5 그 용은 무섭게 생겼다. → The (camel / dragon) looks scary.

6 우리는 믹서가 필요하다. → We need a (blender / camera).

7 그것은 아기 코끼리다. → It is a baby (eagle / elephant).

D 우리말과 같도록 문장에 알맞은 단어를 완성하세요.

1 주사위를 던져라. → Roll a _ i c _ .

2 빈칸을 채워라. → Fill in the _ _ a n k .

3 그들은 낙타를 탄다. → They ride a _ a _ e l .

4 어느 쪽이 동쪽이에요? → Which way is _ _ s t ?

5 그녀는 매우 화가 나 있다. → She is very _ n _ r y .

6 나는 바나나 한 개가 있다. → I have a _ a _ a n a .

7 그 그림은 이젤 위에 있다. → The picture is on the _ _ s e l .

Unit 06 F f

1

안개가 짙다.

fog

[fɔ(:)g]

안개

2

얼굴을 그려라.

face

[feis]

얼굴

3

불을 피운다.

fire

[fáiər]

불

4

숫자 4를 써라.

four

[fɔːr]

4, 넷

5

새는 날 수 있다.

fly

[flai]

날다

6

깃발을 든다.

flag

[flæg]

깃발

7

바닥을 쓸어주세요.

floor

[flɔːr]

바닥

8

플루트를 연주한다.

flute

[fluːt]

플루트

영어 단어를 큰 소리로 읽으면서 쓰세요.

- fog, face, fire, four의 f는 [프]와 [흐]의 중간 소리가 납니다.
- fly, flag, floor, flute에서 fl은 [플(흘)르]와 비슷한 소리가 납니다.

A 단어에 알맞은 그림을 찾아 번호를 쓰세요.

four ◯ flag ◯ face ◯ flute ◯

B 우리말 뜻에 맞는 단어를 찾아 동그라미 하세요.

1 불
2 안개
3 바닥
4 날다

1 tjcfirex
2 pfoglurv
3 zaekfloor
4 bdiflyghk

C 단어의 알맞은 뜻을 선으로 연결한 후, 빈칸에 철자를 써서 단어를 완성하세요.

	단어		뜻		철자
1	four	•	• 깃발	→	☐☐ag
2	flag	•	• 얼굴	→	☐ac☐
3	face	•	• 4, 넷	→	☐ou☐
4	flute	•	• 플루트	→	☐☐ute

D 보기의 철자를 이용하여 그림에 알맞은 단어를 완성하세요.

1 ☐ o ☐

2 ☐ ☐ y

3 ☐ i ☐ e

4 ☐ ☐ o o r

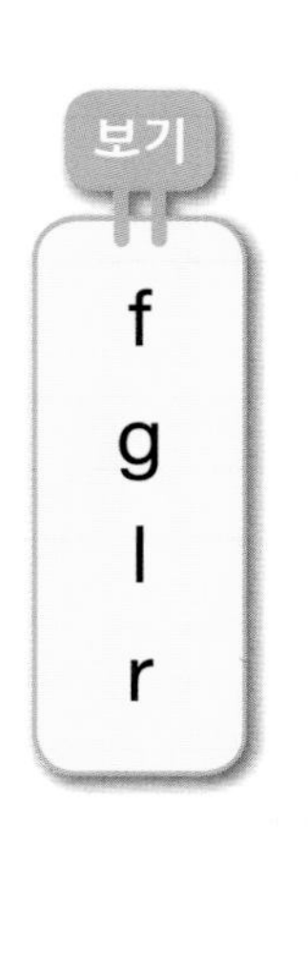

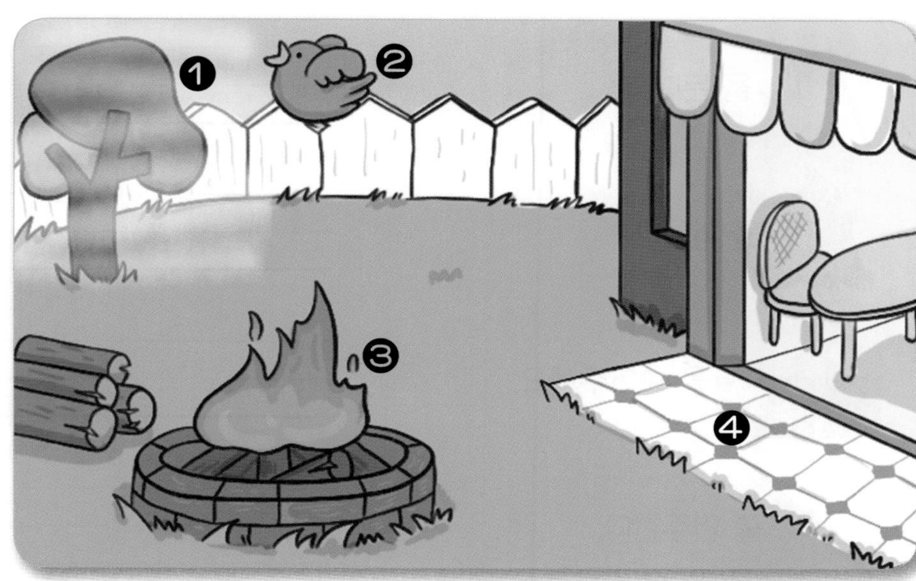

Practice More

A 그림에 알맞은 단어를 보기에서 찾아 사선지에 쓰세요.

보기

fog	face	fire	four
fly	flag	flute	floor

1 새는 수 있다. →

2 숫자 4를 써라. →

3 가 짙다. →

4 을 그려라. →

5 을 든다. →

6 을 피운다. →

7 을 쓸어주세요. →

8 를 연주한다. →

B 우리말과 같도록 빈칸에 알맞은 단어를 골라 문장을 완성하세요.

1 Birds can ____________. 새들은 날 수 있다.
(fog / fly)

2 Draw your ____________. 너의 얼굴을 그려라.
(face / flag)

3 She plays the ____________. 그녀는 플루트를 연주한다.
(four / flute)

4 Dad is making a ____________. 아빠는 불을 피우고 있다.
(fire / floor)

5 The ____________ is thick. 안개가 짙다.
(fog / fly)

6 Write the number ____________. 숫자 4를 써라.
(four / flute)

7 He is holding a ____________. 그는 깃발을 들고 있다.
(face / flag)

8 Please sweep the ____________. 바닥을 쓸어주세요.
(fire / floor)

Unit 07 G g

1

가스 오븐이 있다.

gas

[gæs]

가스

2

껌을 씹는다.

gum

[gʌm]

껌

3

골프를 친다.

golf

[gɔːlf]

골프

4

기타를 연주한다.

guitar

[gitάːr]

기타

5

석쇠 위에 놓아라.

grill

[gril]

그릴, 석쇠

6

포도 주스를 마시자.

grape

[greip]

포도

7

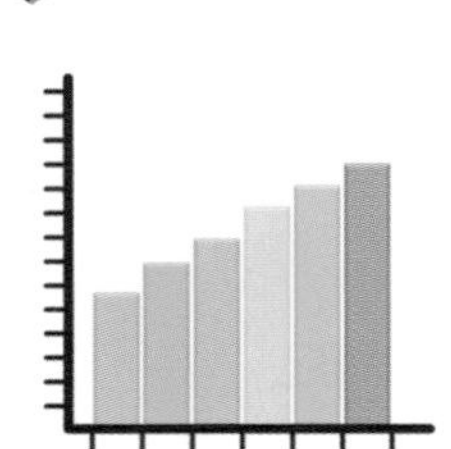

그래프를 보아라.

graph

[græf]

그래프

8

풀을 먹는다.

grass

[græs]

풀, 잔디

영어 단어를 큰 소리로 읽으면서 쓰세요.

gas gas
가스

gum gum
껌

golf golf
골프

guitar guitar
기타

grill grill
그릴, 석쇠

grape grape
포도

graph graph
그래프

grass grass
풀, 잔디

- gas, gum, golf, guitar의 g는 [그]와 비슷한 소리가 납니다.
- grill, grape, graph, grass에서 gr은 [그르]와 비슷한 소리가 납니다.

A 단어에 알맞은 그림을 찾아 번호를 쓰세요.

gum ◯ grape ◯ graph ◯ guitar ◯

B 우리말 뜻에 맞는 단어를 찾아 동그라미 하세요.

1 가스
2 골프
3 풀, 잔디
4 그릴, 석쇠

1 g a s q e t w m
2 b u j p g o l f
3 v i g r a s s z n
4 c g r i l l o k h

C 단어의 알맞은 뜻을 선으로 연결한 후, 빈칸에 철자를 써서 단어를 완성하세요.

D 보기 의 철자를 이용하여 그림에 알맞은 단어를 완성하세요.

1 □ a □

2 □ □ i l l

3 □ □ l f

4 □ □ a s s

Practice More

A 그림에 알맞은 단어를 보기 에서 찾아 사선지에 쓰세요.

보기

gas	gum	golf	guitar
grill	grass	grape	graph

1  주스를 마시자. →

2 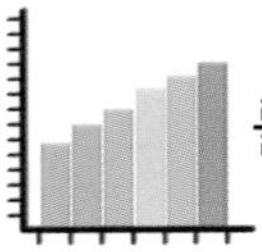 를 보아라. →

3  를 친다. →

4 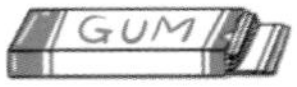 GUM 을 씹는다. →

5  GAS 오븐이 있다. →

6  위에 놓아라. →

7  을 먹는다. →

8  를 연주한다. →

B 우리말과 같도록 빈칸에 알맞은 단어를 골라 문장을 완성하세요.

1 Dad plays ____________. 아빠는 골프를 친다.
(golf / guitar)

2 Put it on the ____________. 그것을 석쇠 위에 놓아라.
(grill / grape)

3 Look at that ____________. 저 그래프를 보아라.
(grass / graph)

4 He is chewing ____________. 그는 껌을 씹고 있다.
(gas / gum)

5 He plays the ____________. 그는 기타를 연주한다.
(golf / guitar)

6 We have a ____________ oven. 우리는 가스 오븐이 있다.
(gas / gum)

7 Cows are eating ____________. 소들이 풀을 먹고 있다.
(grass / graph)

8 Let's have ____________ juice. 포도 주스를 마시자.
(grill / grape)

Unit 08 H h

1

모자를 산다.

hat

[hæt]

모자

2

하프를 잘 켠다.

harp

[hɑːrp]

하프

3

머리가 길다.

hair

[hɛər]

머리(카락)

4

벌은 꿀을 만든다.

honey

[hʌ́ni]

꿀

5

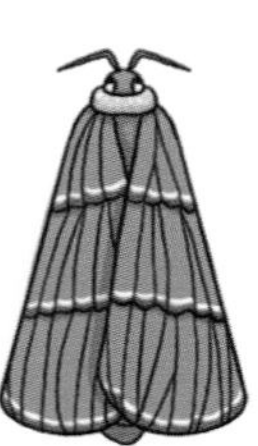

나방은 밤에 난다.

moth

[mɔːθ]

나방

6

천이 부드럽다.

cloth

[klɔːθ]

천, 옷감

7

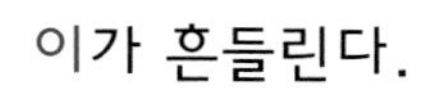

이가 흔들린다.

tooth

[tuːθ]

이(빨)

8

지구에서 산다.

Earth

[əːrθ]

지구

영어 단어를 큰 소리로 읽으면서 쓰세요.

hat hat

모자

harp harp

하프

hair hair

머리(카락)

honey honey

꿀

moth moth

나방

cloth cloth

천, 옷감

tooth tooth

이(빨)

Earth Earth

지구

- hat, harp, hair, honey의 h는 [흐]와 비슷한 소리가 납니다.
- moth, cloth, tooth, Earth에서 끝 글자 th는 [-쓰(뜨)]와 비슷한 소리가 납니다.

A 단어에 알맞은 그림을 찾아 번호를 쓰세요.

hat ◯ moth ◯ tooth ◯ honey ◯

B 우리말 뜻에 맞는 단어를 찾아 동그라미 하세요.

1 하프
2 지구
3 천, 옷감
4 머리(카락)

1 o h a r p i u v
2 E a r t h b q d
3 n z r g c l o t h
4 x s r h a i r j k

C 단어의 알맞은 뜻을 선으로 연결한 후, 빈칸에 철자를 써서 단어를 완성하세요.

1	honey	모자	→ ☐ a ☐
2	tooth	나방	→ mo ☐ ☐
3	moth	이(빨)	→ too ☐ ☐
4	hat	꿀	→ ☐ o ☐ ey

D 보기 의 철자를 이용하여 그림에 알맞은 단어를 완성하세요.

1 ☐ a i ☐

2 ☐ a r ☐

3 E a r ☐ ☐

4 c l o ☐ ☐

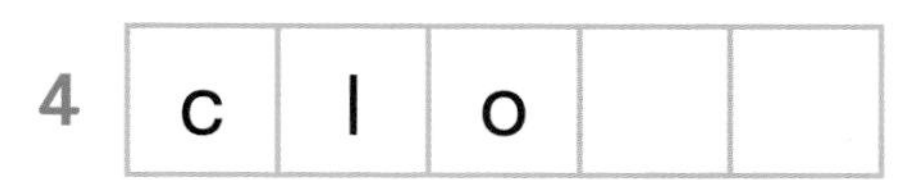

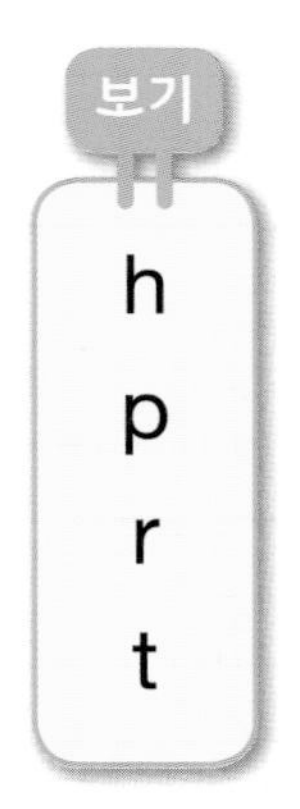

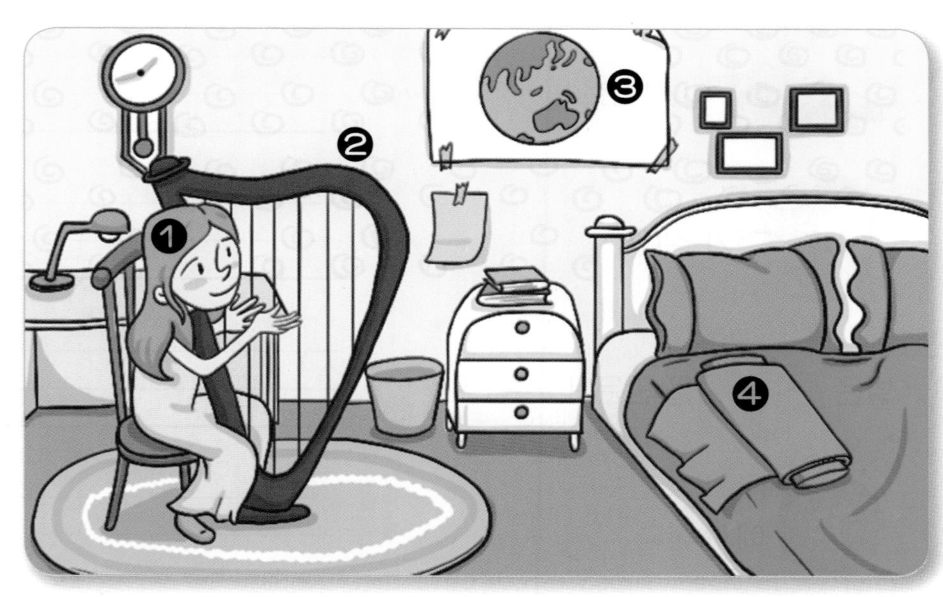

Practice More

A 그림에 알맞은 단어를 보기에서 찾아 사선지에 쓰세요.

보기

hat	harp	hair	honey
moth	cloth	tooth	Earth

1 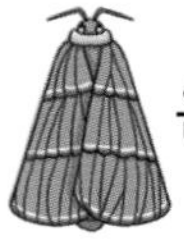 은 밤에 난다. →

2 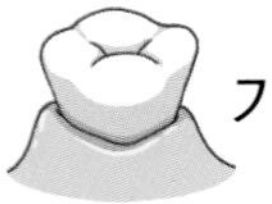 가 흔들린다. →

3  를 잘 켠다. →

4  를 산다. →

5 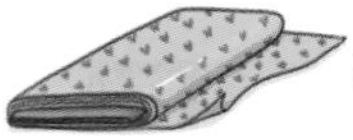 이 부드럽다. →

6  가 길다. →

7 벌은  을 만든다. →

8  에서 산다. →

B 우리말과 같도록 빈칸에 알맞은 단어를 골라 문장을 완성하세요.

1 He is buying a ________________. 그는 모자를 사고 있다.
(hat / hair)

2 She plays the ________________ well. 그녀는 하프를 잘 켠다.
(harp / honey)

3 This ________________ is soft. 이 천은 부드럽다.
(moth / cloth)

4 We live on ________________. 우리는 지구에서 산다.
(tooth / Earth)

5 She has long ________________. 그녀는 머리가 길다.
(hat / hair)

6 A ________________ flies at night. 나방은 밤에 날아다닌다.
(moth / cloth)

7 My ________________ is loose. 나의 이가 흔들린다.
(tooth / Earth)

8 Bees make ________________. 벌들은 꿀을 만든다.
(harp / honey)

Unit 09 I i

1

잉크로 써라.

ink

[iŋk]

잉크

2

이글루에 산다.

igloo

[íglu:]

이글루

3

이구아나를 키운다.

iguana

[igwáːnə]

이구아나

4

이탈리아는 유럽이다.

Italy

[ítəli]

이탈리아

5

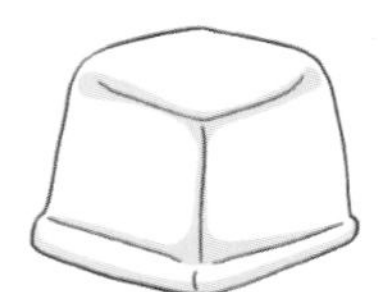

얼음이 필요하다.

ice

[ais]

얼음

6

아이스크림은 달다.

ice cream

[ais kri:m]

아이스크림

7

담쟁이덩굴을 기른다.

ivy

[áivi]

담쟁이덩굴

8

다리미를 만지지 마.

iron

[áiərn]

다리미

영어 단어를 큰 소리로 읽으면서 쓰세요.

ink ink
잉크

igloo igloo
이글루

iguana iguana
이구아나

Italy Italy
이탈리아

ice ice
얼음

ice cream ice cream
아이스크림

ivy ivy
담쟁이덩굴

iron iron
다리미

- ink, igloo, iguana, Italy의 i는 [이] 소리가 납니다.
- ice, ice cream, ivy, iron의 i는 [아이] 소리가 납니다.

Practice

A 단어에 알맞은 그림을 찾아 번호를 쓰세요.

ice ◯ ivy ◯ Italy ◯ ice cream ◯

B 우리말 뜻에 맞는 단어를 찾아 동그라미 하세요.

1 잉크
2 다리미
3 이글루
4 이구아나

1 a e i n k t p b
2 u z q i r o n d
3 n s r x i g l o o
4 c f i g u a n a j

C 단어의 알맞은 뜻을 선으로 연결한 후, 빈칸에 철자를 써서 단어를 완성하세요.

1	ivy	얼음	→ ☐c☐
2	ice	이탈리아	→ ☐☐aly
3	Italy	담쟁이덩굴	→ ☐☐y
4	ice cream	아이스크림	→ ☐ce ☐ream

D 보기의 철자를 이용하여 그림에 알맞은 단어를 완성하세요.

1 ☐ n ☐

2 ☐ r ☐ n

3 ☐ g l ☐ o

4 ☐ g u a ☐ a

보기

i
k
n
o

Practice More

A 그림에 알맞은 단어를 보기에서 찾아 사선지에 쓰세요.

보기

ice	ivy	iron	ice cream
ink	igloo	iguana	Italy

1 로 써라. →

2 은 달다. →

3 에 산다. →

4 이 필요하다. →

5 를 만지지 마. →

6 를 키운다. →

7 는 유럽이다. →

8 을 기른다. →

B 우리말과 같도록 빈칸에 알맞은 단어를 골라 문장을 완성하세요.

1 I need some ________________. 나는 얼음이 조금 필요하다.
(ice / ivy)

2 Write in ________________. 잉크로 써라.
(ink / iguana)

3 Don't touch the ________________. 다리미를 만지지 마라.
(iron / igloo)

4 ________________ is in Europe. 이탈리아는 유럽에 있다.
(Italy / Ice cream)

5 Sam is growing ________________. 샘은 담쟁이덩굴을 기르고 있다.
(ice / ivy)

6 They live in an ________________. 그들은 이글루에 산다.
(iron / igloo)

7 He has an ________________. 그는 이구아나를 키운다.
(ink / iguana)

8 ________________ is sweet. 아이스크림은 달다.
(Italy / Ice cream)

Unit 10 J j

1

오렌지 잼이 좋다.

jam

[dʒæm]

잼

2

제트기가 날아간다.

jet

[dʒet]

제트기

3

지프차를 운전한다.

jeep

[dʒiːp]

지프차

4

젤리를 만든다.

jelly

[dʒéli]

젤리

5

물 주전자다.

jug

[dʒʌg]

주전자

6

다 같이 점프하자.

jump

[dʒʌmp]

점프하다

7

킹콩은 정글에 산다.

jungle

[dʒʌ́ŋgl]

정글, 밀림

8

저글링할 수 있다.

juggle

[dʒʌ́gl]

저글링하다

영어 단어를 큰 소리로 읽으면서 쓰세요.

jam jam
잼

jet jet
제트기

jeep jeep
지프차

jelly jelly
젤리

jug jug
주전자

jump jump
점프하다

jungle jungle
정글, 밀림

juggle juggle
저글링하다

- jam, jet, jeep, jelly의 j는 [줘]와 비슷한 소리가 납니다.
- jug, jump, jungle, juggle에서 ju는 [줘]와 비슷한 소리가 납니다.

A 단어에 알맞은 그림을 찾아 번호를 쓰세요.

jam ◯　　jug ◯　　jelly ◯　　jungle ◯

B 우리말 뜻에 맞는 단어를 찾아 동그라미 하세요.

1 제트기
2 지프차
3 점프하다
4 저글링하다

1 hkjetfln
2 nsbjeepd
3 czqltjump
4 juggleaoi

C 단어의 알맞은 뜻을 선으로 연결한 후, 빈칸에 철자를 써서 단어를 완성하세요.

1	jug	잼	→	☐a☐
2	jam	젤리	→	☐el☐y
3	jelly	주전자	→	☐☐g
4	jungle	정글, 밀림	→	☐☐ngle

D 보기의 철자를 이용하여 그림에 알맞은 단어를 완성하세요.

1 ☐ e ☐

2 ☐ ☐ m p

3 ☐ e e ☐

4 ☐ ☐ g g l e

보기

j
p
t
u

A 그림에 알맞은 단어를 보기에서 찾아 사선지에 쓰세요.

보기

jam	jet	jeep	jelly
jug	jump	jungle	juggle

1 다 같이 자. →

2 를 만든다. →

3 오렌지 이 좋다. →

4 물 다. →

5 가 날아간다. →

6 를 운전한다. →

7 킹콩은 에 산다. →

8 수 있다. →

B 우리말과 같도록 빈칸에 알맞은 단어를 골라 문장을 완성하세요.

1 It is a water ________________. 그것은 물 주전자다.
(jam / jug)

2 Let's ________________ together. 다 같이 점프하자.
(jet / jump)

3 Dad drives a ________________. 아빠는 지프차를 운전한다.
(jeep / jungle)

4 Mom is making ________________. 엄마는 젤리를 만들고 있다.
(jelly / juggle)

5 The ________________ flies fast. 그 제트기는 빠르게 날아간다.
(jet / jump)

6 I like orange ________________. 나는 오렌지 잼을 좋아한다.
(jam / jug)

7 The crown can ________________. 그 광대는 저글링할 수 있다.
(jelly / juggle)

8 King Kong lives in the ________________. 킹콩은 정글에 산다.
(jeep / jungle)

Review Unit 06-10

A 다음 영어 단어의 우리말 뜻을 쓰세요.

1 hat → ☐
2 gas → ☐
3 ink → ☐
4 ice → ☐
5 jeep → ☐
6 iron → ☐
7 flag → ☐
8 jelly → ☐
9 igloo → ☐
10 honey → ☐
11 Earth → ☐
12 ice cream → ☐

B 다음 우리말 뜻에 맞는 영어 단어를 완성하세요.

1 껌 → ☐u☐
2 잼 → ☐a☐
3 제트기 → ☐e☐
4 날다 → ☐☐y
5 주전자 → ☐☐g
6 점프하다 → ☐☐mp
7 4, 넷 → ☐☐ur
8 천, 옷감 → clo☐☐
9 그릴, 석쇠 → ☐☐ill
10 풀, 잔디 → ☐☐ass
11 이(빨) → too☐☐
12 머리(카락) → ☐ai☐

C 우리말과 같도록 괄호 안에서 알맞은 단어에 동그라미 하세요.

1 그녀는 하프를 잘 켠다. → She plays the (golf / harp) well.

2 아빠는 불을 피우고 있다. → Dad is making a (fog / fire).

3 너의 얼굴을 그려라. → Draw your (face / tooth).

4 그는 이구아나를 키운다. → He has an (moth / iguana).

5 그는 기타를 연주한다. → He plays the (flute / guitar).

6 포도 주스를 마시자. → Let's have (grape / floor) juice.

7 킹콩은 정글에 산다. → King Kong lives in the (jungle / juggle).

D 우리말과 같도록 문장에 알맞은 단어를 완성하세요.

1 안개가 짙다. → The [ ][ ][g] is thick.

2 아빠는 골프를 친다. → Dad plays [ ][o][l][ ].

3 나방은 밤에 날아다닌다. → A [m][o][ ][ ] flies at night.

4 저 그래프를 보아라. → Look at that [ ][ ][a][p][h].

5 바닥을 쓸어주세요. → Please sweep the [ ][ ][o][o][r].

6 그녀는 플루트를 연주한다. → She plays the [ ][ ][u][t][e].

7 그 광대는 저글링할 수 있다. → The crown can [ ][ ][g][g][l][e].

Unit 11 K k

1

열쇠가 있나요?

key

[kiː]

열쇠

2

엄마한테 뽀뽀해 줘.

kiss

[kis]

뽀뽀

3

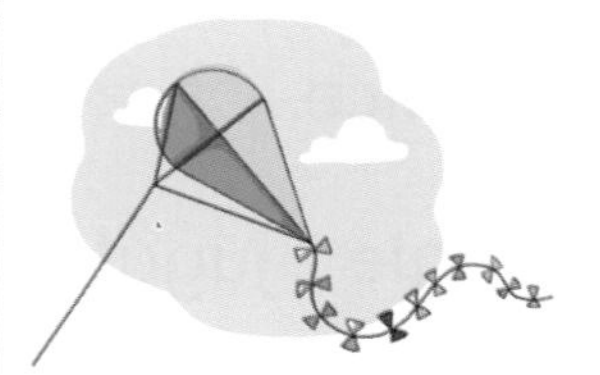

연을 날리자.

kite

[kait]

연

4

코알라가 귀엽다.

koala

[kouáːlə]

코알라

5

은행에 간다.

bank

[bæŋk]

은행

6

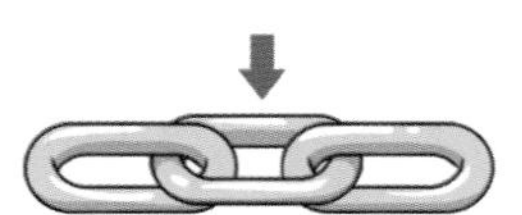

고리가 5개다.

link

[liŋk]

고리

7

어항이 필요하다.

tank

[tæŋk]

수조, 어항

8

윙크하며 웃는다.

wink

[wiŋk]

윙크

영어 단어를 큰 소리로 읽으면서 쓰세요.

key key
열쇠

kiss kiss
뽀뽀

kite kite
연

koala koala
코알라

bank bank
은행

link link
고리

tank tank
수조, 어항

wink wink
윙크

- key, kiss, kite, koala의 k는 [크]와 비슷한 소리가 납니다.
- bank, link, tank, wink에서 끝 글자 nk는 [-ㅇ크]와 비슷한 소리가 납니다.

A 단어에 알맞은 그림을 찾아 번호를 쓰세요.

link ◯ wink ◯ kiss ◯ koala ◯

B 우리말 뜻에 맞는 단어를 찾아 동그라미 하세요.

1 연
2 열쇠
3 은행
4 수조, 어항

1 k i t e f m g d
2 z x k e y b q w
3 a b a n k c l j u
4 v p h t a n k n s

C 단어의 알맞은 뜻을 선으로 연결한 후, 빈칸에 철자를 써서 단어를 완성하세요.

1	kiss	코알라	→ ☐☐ala
2	wink	고리	→ li☐☐
3	link	윙크	→ wi☐☐
4	koala	뽀뽀	→ ☐☐ss

D 보기의 철자를 이용하여 그림에 알맞은 단어를 완성하세요.

1 | ☐ | e | ☐ |

2 | ☐ | i | ☐ | e |

3 | t | a | ☐ | ☐ |

4 | b | a | ☐ | ☐ |

보기
k
n
t
y

A 그림에 알맞은 단어를 보기에서 찾아 사선지에 쓰세요.

보기

key	kiss	kite	koala
bank	link	tank	wink

1 을 날리자. → ____________

2 에 간다. → ____________

3 엄마한테 해 줘. → ____________

4 하며 웃는다. → ____________

5 가 있나요? → ____________

6 가 5개다. → ____________

7 이 필요하다. → ____________

8 가 귀엽다. → ____________

B 우리말과 같도록 빈칸에 알맞은 단어를 골라 문장을 완성하세요.

1 I am going to the ____________. 나는 은행에 가고 있다.
(bank / koala)

2 Do you have a ____________? 당신은 열쇠를 갖고 있나요?
(key / kite)

3 Give Mommy a ____________. 엄마한테 뽀뽀해 줘.
(kiss / wink)

4 We need a fish ____________. 우리는 어항이 필요하다.
(link / tank)

5 Let's fly a ____________. 연을 날리자.
(key / kite)

6 The ____________ looks cute. 그 코알라는 귀여워 보인다.
(bank / koala)

7 He smiles with a ____________. 그는 윙크하며 웃는다.
(kiss / wink)

8 This chain has 5 ____________. 이 사슬은 고리가 5개다.
(links / tanks)

Unit 12 L l

통나무가 불탄다.

log

[lɔ(:)g]

통나무

사자가 힘이 세다.

lion

[láiən]

사자

3

젊은 숙녀다.

lady

[léidi]

숙녀

4

자물쇠는 내 것이다.

lock

[lɑk]

자물쇠

5

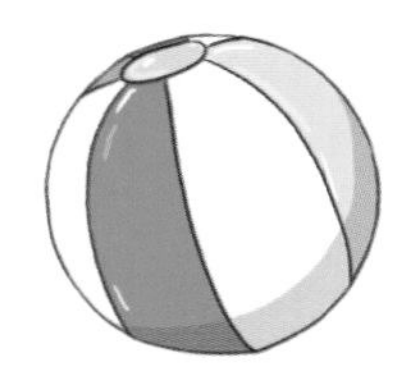

공을 패스해라.

ball

[bɔːl]

공

6

종이 울린다.

bell

[bel]

종

7

언덕에 올라간다.

hill

[hil]

언덕

8

집에 우물이 있다.

well

[wel]

우물

영어 단어를 큰 소리로 읽으면서 쓰세요.

log log
통나무

lion lion
사자

lady lady
숙녀

lock lock
자물쇠

ball ball
공

bell bell
종

hill hill
언덕

well well
우물

- log, lion, lady, lock의 l은 [러]와 비슷한 소리가 납니다.
- ball, bell, hill, well에서 끝 글자 ll은 [-ㄹ]와 비슷한 소리가 납니다.

A 단어에 알맞은 그림을 찾아 번호를 쓰세요.

lion ◯ lock ◯ ball ◯ bell ◯

B 우리말 뜻에 맞는 단어를 찾아 동그라미 하세요.

1 숙녀
2 언덕
3 우물
4 통나무

1 b e f h l a d y
2 k h i l l m w z
3 j o w e l l v i r
4 q p a l o g u t n

C 단어의 알맞은 뜻을 선으로 연결한 후, 빈칸에 철자를 써서 단어를 완성하세요.

1	ball	종	→	be☐☐
2	bell	공	→	ba☐☐
3	lock	사자	→	☐i☐n
4	lion	자물쇠	→	☐oc☐

D 보기 의 철자를 이용하여 그림에 알맞은 단어를 완성하세요.

1 ☐ o ☐

2 ☐ a ☐ y

3 w e ☐ ☐

4 h i ☐ ☐

보기

d
g
l

Practice More

A 그림에 알맞은 단어를 보기에서 찾아 사선지에 쓰세요.

보기

log	lion	lady	lock
ball	bell	hill	well

1 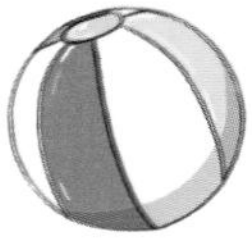 을 패스해라. →

2  가 힘이 세다. →

3 젊은  다. →

4  가 불탄다. →

5  이 울린다. →

6  는 내 것이다. →

7  에 올라간다. →

8 집에  이 있다. →

B 우리말과 같도록 빈칸에 알맞은 단어를 골라 문장을 완성하세요.

1 The ______________ is burning. 그 통나무는 불에 타고 있다.
(log / lock)

2 Pass the ______________. 공을 패스해라.
(ball / bell)

3 That ______________ is strong. 저 사자는 힘이 세다.
(lady / lion)

4 I am climbing up the ______________. 나는 언덕에 올라가고 있다.
(hill / well)

5 The ______________ is ringing. 그 종이 울리고 있다.
(ball / bell)

6 The ______________ is mine. 그 자물쇠는 나의 것이다.
(log / lock)

7 She is a young ______________. 그녀는 젊은 숙녀다.
(lady / lion)

8 My house has a ______________. 나의 집에는 우물이 있다.
(hill / well)

Unit 13 Mm

1

키가 큰 남자다.

man

[mæn]

남자

2

매트가 더럽다.

mat

[mæt]

매트

3

가면을 쓴다.

mask

[mæsk]

가면

4

망고가 달다.

mango

[mǽŋgou]

망고

5

폭탄이다.

bomb

[bɑm]

폭탄

6

내 빗은 쓰지 마.

comb

[koum]

빗

7

새끼 양이 잔다.

lamb

[læm]

새끼 양

8

나무에 잘 오른다.

climb

[klaim]

오르다

영어 단어를 큰 소리로 읽으면서 쓰세요.

man man
남자

mat mat
매트

mask mask
가면

mango mango
망고

bomb bomb
폭탄

comb comb
빗

lamb lamb
새끼 양

climb climb
오르다

- man, mat, mask, mango의 m은 [므]와 비슷한 소리가 납니다.
- bomb, comb, lamb, climb에서 끝 글자 mb는 b가 소리가 나지 않습니다. 따라서 -mb의 단어의 끝소리는 [-ㅁ]과 비슷한 소리가 납니다.

A 단어에 알맞은 그림을 찾아 번호를 쓰세요.

mat ◯ bomb ◯ comb ◯ mango ◯

B 우리말 뜻에 맞는 단어를 찾아 동그라미 하세요.

1 가면
2 남자
3 오르다
4 새끼 양

1 d f m a s k b t
2 s q u o m a n z
3 r c l i m b h n e
4 g v l a m b x w i

C 단어의 알맞은 뜻을 선으로 연결한 후, 빈칸에 철자를 써서 단어를 완성하세요.

1	mat	빗	→	co☐☐
2	comb	매트	→	☐a☐
3	bomb	망고	→	☐an☐o
4	mango	폭탄	→	bo☐☐

D 보기 의 철자를 이용하여 그림에 알맞은 단어를 완성하세요.

1 ☐ a ☐

2 ☐ a ☐ k

3 c l i ☐ ☐

4 l a ☐ ☐

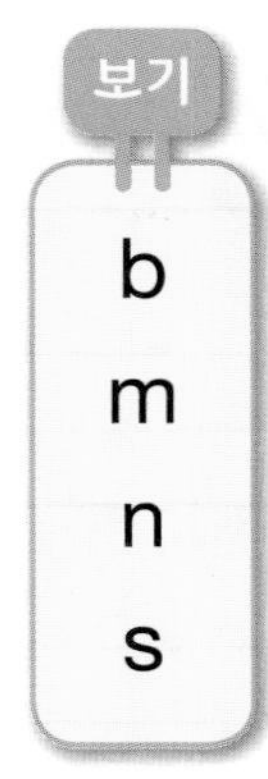

Practice More

A 그림에 알맞은 단어를 보기에서 찾아 사선지에 쓰세요.

보기

man	mat	mask	mango
bomb	comb	lamb	climb

1 Welcome 가 더럽다. →

2 ___ 이다. →

3 ___ 가 달다. →

4 ___ 을 쓴다. →

5 내 ___ 은 쓰지 마. →

6 키가 큰 ___ 다. →

7 ___ 이 잔다. →

8 나무에 잘 ___. →

B 우리말과 같도록 빈칸에 알맞은 단어를 골라 문장을 완성하세요.

1 It is a ______________. 그것은 폭탄이다.
(bomb / comb)

2 This ______________ is dirty. 이 매트는 더럽다.
(man / mat)

3 He is wearing a ______________. 그는 가면을 쓰고 있다.
(mask / mango)

4 A ______________ is sleeping. 새끼 양 한 마리가 자고 있다.
(lamb / climb)

5 He is a tall ______________. 그는 키가 큰 남자다.
(man / mat)

6 Don't use my ______________. 내 빗은 쓰지 마라.
(bomb / comb)

7 This ______________ is sweet. 이 망고는 달다.
(mask / mango)

8 Koalas ______________ trees well. 코알라들은 나무에 잘 오른다.
(lamb / climb)

Unit 14 N n

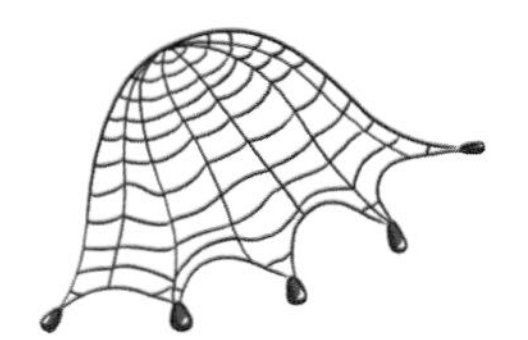

그물을 던진다.

net

[net]

그물

뉴스를 보자.

news

[nju:z]

뉴스

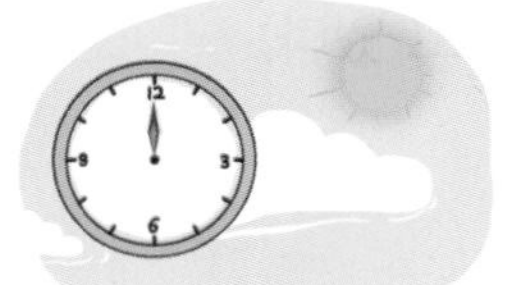

정오에 문을 연다.

noon

[nu:n]

정오(낮 12시)

밤에 잠을 잔다.

night

[nait]

밤

5

왕은 용감하다.

king

[kiŋ]

왕

6

반지를 낀다.

ring

[riŋ]

반지

7

노래를 부르자.

song

[sɔ:ŋ]

노래

8

그네를 타며 논다.

swing

[swiŋ]

그네

영어 단어를 큰 소리로 읽으면서 쓰세요.

net net
그물

news news
뉴스

noon noon
정오(낮 12시)

night night
밤

king king
왕

ring ring
반지

song song
노래

swing swing
그네

- net, news, noon, night의 n은 [느]와 비슷한 소리가 납니다.
- king, ring, song, swing에서 끝 글자 ng는 [-응]과 비슷한 소리가 납니다.

Practice

A 단어에 알맞은 그림을 찾아 번호를 쓰세요.

news ◯ noon ◯ king ◯ ring ◯

B 우리말 뜻에 맞는 단어를 찾아 동그라미 하세요.

1 밤
2 노래
3 그물
4 그네

C 단어의 알맞은 뜻을 선으로 연결한 후, 빈칸에 철자를 써서 단어를 완성하세요.

1	ring	왕	→	ki☐☐
2	king	반지	→	ri☐☐
3	noon	뉴스	→	☐ew☐
4	news	정오	→	☐oo☐

D 보기의 철자를 이용하여 그림에 알맞은 단어를 완성하세요.

1 ☐ ☐ t

2 s o ☐ ☐

3 ☐ i g h ☐

4 s w i ☐ ☐

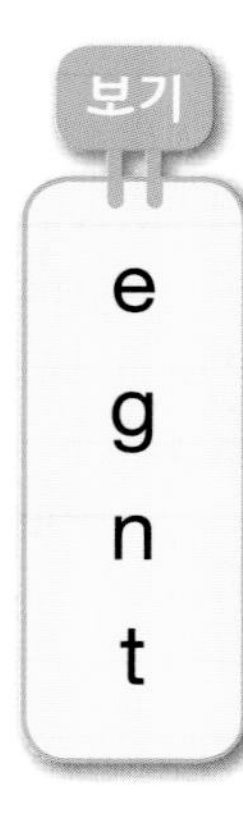

A 그림에 알맞은 단어를 보기 에서 찾아 사선지에 쓰세요.

보기

net	news	noon	night
king	ring	song	swing

1 를 보자. →

2 을 던진다. →

3 은 용감하다. →

4 를 낀다. →

5 를 부르자. →

6 에 문을 연다. →

7 를 타며 논다. →

8 에 잠을 잔다. →

B 우리말과 같도록 빈칸에 알맞은 단어를 골라 문장을 완성하세요.

1 Let's sing a __________. 노래를 부르자.
(king / song)

2 He is throwing a __________. 그는 그물을 던지고 있다.
(net / news)

3 The store opens at __________. 그 가게는 정오에 문을 연다.
(noon / night)

4 She is wearing a __________. 그녀는 반지를 끼고 있다.
(ring / swing)

5 The __________ is brave. 그 왕은 용감하다.
(king / song)

6 Let's watch the __________. 뉴스를 보자.
(net / news)

7 We sleep at __________. 우리는 밤에 잠을 잔다.
(noon / night)

8 She plays on a __________. 그녀는 그네를 타며 논다.
(ring / swing)

Unit 15 O o

1

황소를 기른다.

ox

[ɑks]

황소

2

10월 1일이다.

October

[ɑktóubər]

10월

3

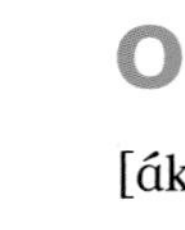

문어는 바다에 산다.

octopus

[ɑ́ktəpəs]

문어

4

타조는 날지 못한다.

ostrich

[ɑ́stritʃ]

타조

5

그는 나이가 많다.

old

[ould]

나이 많은

6

집을 소유한다.

own

[oun]

소유하다
(가지고 있다)

7

문 좀 열어주세요.

open

[óupən]

열다

8

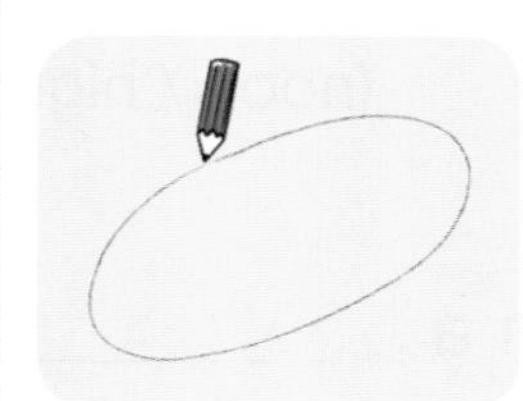

타원을 그려라.

oval

[óuvəl]

타원(형)

영어 단어를 큰 소리로 읽으면서 쓰세요.

ox ox

황소

October October

10월

octopus octopus

문어

ostrich ostrich

타조

old old

나이 많은

own own

소유하다
(가지고 있다)

open open

열다

oval oval

타원(형)

- ox, October, octopus, ostrich의 o는 [아] 소리가 납니다.
- old, own, open, oval의 o는 [오우] 소리가 납니다.

A 단어에 알맞은 그림을 찾아 번호를 쓰세요.

own ◯ October ◯ oval ◯ octopus ◯

B 우리말 뜻에 맞는 단어를 찾아 동그라미 하세요.

1 황소
2 타조
3 열다
4 나이 많은

1 aveoxzsp
2 bostrich
3 duopenfgi
4 njckqoldy

C 단어의 알맞은 뜻을 선으로 연결한 후, 빈칸에 철자를 써서 단어를 완성하세요.

1	own	10월	→	☐ c ☐ ober
2	oval	문어	→	☐ cto ☐ us
3	October	타원(형)	→	☐ va ☐
4	octopus	소유하다	→	☐ w ☐

D 보기 의 철자를 이용하여 그림에 알맞은 단어를 완성하세요.

1 ☐ l ☐

2 ☐ ☐ e n

3 ☐ x

4 ☐ s t r ☐ c h

보기

d
i
o
p

A 그림에 알맞은 단어를 보기에서 찾아 사선지에 쓰세요.

보기

ox	October	octopus	ostrich
old	own	open	oval

1 을 그려라. →

2 를 기른다. →

3 그는 다. →

4 는 날지 못한다. →

5 문 좀 주세요. →

6 1일이다. →

7 집을 . →

8 는 바다에 산다. →

B 우리말과 같도록 빈칸에 알맞은 단어를 골라 문장을 완성하세요.

1 He keeps an ______________. 그는 황소 한 마리를 기른다.
(ox / October)

2 He is ______________. 그는 나이가 많다.
(old / oval)

3 An ______________ can't fly. 타조는 날지 못한다.
(octopus / ostrich)

4 They ______________ the house. 그들이 그 집을 소유하고 있다.
(own / open)

5 Draw an ______________. 타원을 그려라.
(old / oval)

6 It is ______________ 1st. 10월 1일이다.
(ox / October)

7 Please ______________ the door. 문 좀 열어주세요.
(own / open)

8 An ______________ lives in the sea. 문어는 바다에서 산다.
(octopus / ostrich)

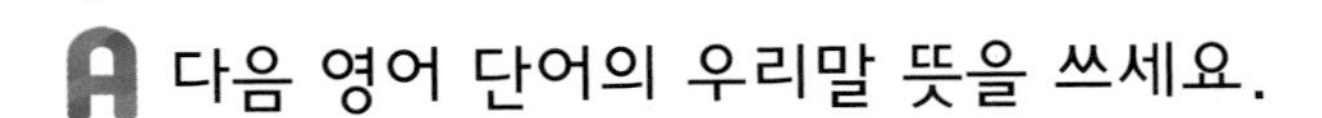

Review Unit 11-15

A 다음 영어 단어의 우리말 뜻을 쓰세요.

1	mat	→	2	net	→
3	old	→	4	ball	→
5	bomb	→	6	link	→
7	news	→	8	hill	→
9	kite	→	10	mango	→
11	swing	→	12	octopus	→

B 다음 우리말 뜻에 맞는 영어 단어를 완성하세요.

1	황소	→ ☐x	2	열쇠	→ ☐e☐
3	남자	→ ☐a☐	4	종	→ be☐☐
5	사자	→ ☐io☐	6	왕	→ ki☐☐
7	가면	→ ☐as☐	8	자물쇠	→ ☐oc☐
9	뽀뽀	→ ☐☐ss	10	은행	→ ba☐☐
11	새끼 양	→ la☐☐	12	코알라	→ ☐oa☐a

C 우리말과 같도록 괄호 안에서 알맞은 단어에 동그라미 하세요.

1 그 통나무는 불에 타고 있다. → The (old / log) is burning.

2 우리는 어항이 필요하다. → We need a fish (bank / tank).

3 나의 집에는 우물이 있다. → My house has a (hill / well).

4 그녀는 젊은 숙녀다. → She is a young (man / lady).

5 코알라들은 나무에 잘 오른다. → Koalas (wink / climb) trees well.

6 그 가게는 정오에 문을 연다. → The store opens at (noon / night).

7 타조는 날지 못한다. → An (ostrich / octopus) can't fly.

D 우리말과 같도록 문장에 알맞은 단어를 완성하세요.

1 그녀는 반지를 끼고 있다. → She is wearing a | r | i | | |.

2 타원을 그려라. → Draw an | | v | a | |.

3 내 빗은 쓰지 마라. → Don't use my | c | o | | |.

4 문 좀 열어주세요. → Please | | | e | n | the door.

5 우리는 밤에 잠을 잔다. → We sleep at | | i | g | h | |.

6 그는 윙크하며 웃는다. → He smiles with a | w | i | | |.

7 노래를 부르자. → Let's sing a | s | o | | |.

Unit 16 P p

핀이 있나요?

pin

[pin]

핀

피아노를 잘 치나요?

piano

[piǽnou]

피아노

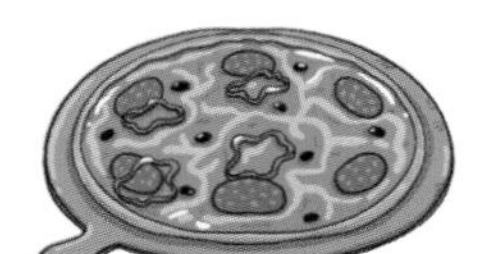

피자를 좋아한다.

pizza

[pí:tsə]

피자

4

나의 연필이다.

pencil

[pénsəl]

연필

5

공을 갖고 놀자.

play

[plei]

놀다

6

장난감 비행기다.

plane

[plein]

비행기

7

식물에 물을 주세요.

plant

[plænt]

식물

8

1 더하기 2는?

plus

[plʌs]

더하기

영어 단어를 큰 소리로 읽으면서 쓰세요.

pin pin
핀

piano piano
피아노

pizza pizza
피자

pencil pencil
연필

play play
놀다

plane plane
비행기

plant plant
식물

plus plus
더하기

- pin, piano, pizza, pencil의 p는 [퍼]와 비슷한 소리가 납니다.
- play, plane, plant, plus에서 pl은 [플르]와 비슷한 소리가 납니다.

Practice

A 단어에 알맞은 그림을 찾아 번호를 쓰세요.

pin ◯ plane ◯ plus ◯ pencil ◯

B 우리말 뜻에 맞는 단어를 찾아 동그라미 하세요.

1 피자
2 식물
3 놀다
4 피아노

1 qjepizza
2 dplantbx
3 goukplayc
4 fwpianosh

C 단어의 알맞은 뜻을 선으로 연결한 후, 빈칸에 철자를 써서 단어를 완성하세요.

1	pin	핀	→	☐ i ☐
2	plus	연필	→	☐ e ☐ cil
3	plane	더하기	→	☐ ☐ us
4	pencil	비행기	→	☐ ☐ ane

D 보기 의 철자를 이용하여 그림에 알맞은 단어를 완성하세요.

1 | | | a | y |

2 | | i | z | | a |

3 | | | a | n | t |

4 | | i | a | n | |

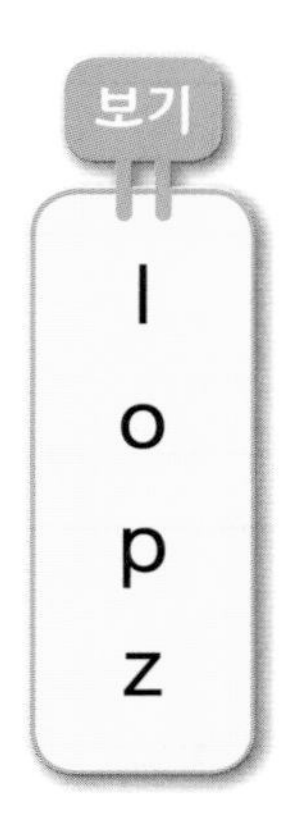

A 그림에 알맞은 단어를 보기 에서 찾아 사선지에 쓰세요.

보기

pin	piano	pizza	pencil
play	plane	plant	plus

1 이 있나요? →

2 공을 갖고 자. →

3 에 물을 주세요. →

4 를 좋아한다. →

5 장난감 다. →

6 를 잘 치나요? →

7 1 2는? →

8 나의 이다. →

B 우리말과 같도록 빈칸에 알맞은 단어를 골라 문장을 완성하세요.

1 It is a toy ________________. 그것은 장난감 비행기다.
(plane / plant)

2 Let's ________________ with a ball. 공을 가지고 놀자.
(play / plus)

3 Do you have a ________________? 당신은 핀이 있나요?
(pin / pencil)

4 I love ________________. 나는 피자를 아주 좋아한다.
(pizza / piano)

5 This is my ________________. 이것은 나의 연필이다.
(pin / pencil)

6 One ________________ two is three. 1 더하기 2는 3이다.
(play / plus)

7 Water the ________________, please. 식물에 물을 주세요.
(plane / plant)

8 Can he play the ________________ well? 그는 피아노를 잘 치나요?
(pizza / piano)

Unit 17 Q q

1

퀼트가 알록달록하다.

quilt

[kwilt]

퀼트

2

여왕은 친절하다.

queen

[kwi:n]

여왕

3

걸음이 빠르다.

quick

[kwik]

(재)빠른

4

오리는 꽥꽥거린다.

quack

[kwæk]

꽥꽥거리다

5

그것은 오징어다.

squid

[skwid]

오징어

6

정사각형 모양이다.

square

[skwɛər]

정사각형

7

다람쥐는 작다.

squirrel

[skwə́:rəl]

다람쥐

8

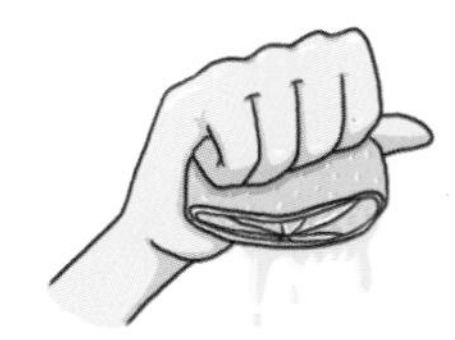

즙을 짜자.

squeeze

[skwi:z]

(액체를) 짜다

영어 단어를 큰 소리로 읽으면서 쓰세요.

quilt quilt
퀼트

queen queen
여왕

quick quick
(재)빠른

quack quack
꽥꽥거리다

squid squid
오징어

square square
정사각형

squirrel squirrel
다람쥐

squeeze squeeze
(액체를) 짜다

- quilt, queen, quick, quack에서 qu는 [쿠]와 비슷한 소리가 납니다.
- squid, square, squirrel, squeeze에서 squ는 [스쿠]와 비슷한 소리가 납니다.

A 단어에 알맞은 그림을 찾아 번호를 쓰세요.

quick ◯ quack ◯ squid ◯ square ◯

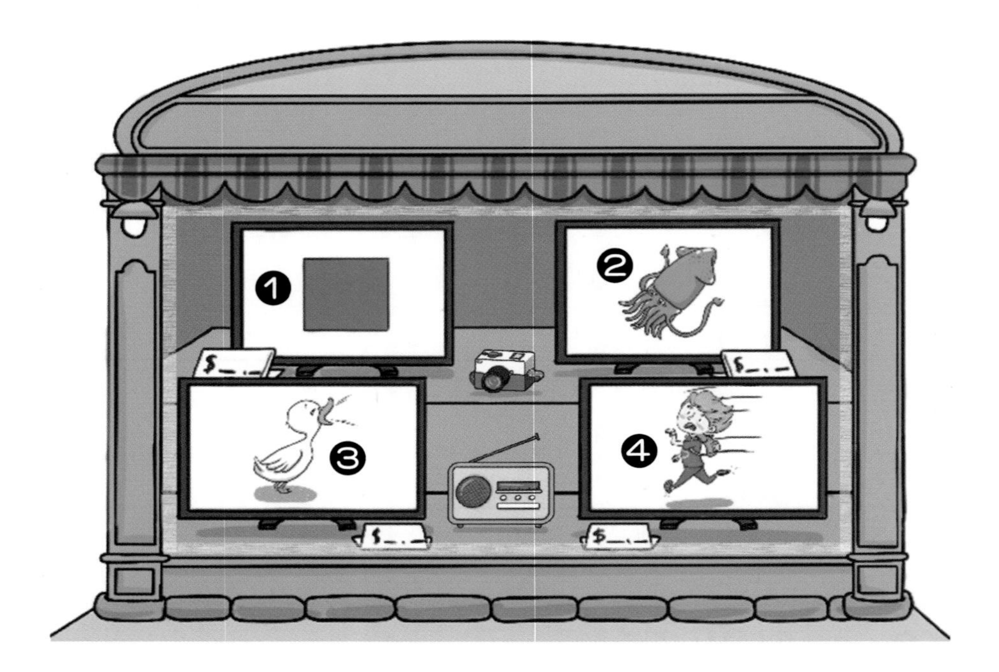

B 우리말 뜻에 맞는 단어를 찾아 동그라미 하세요.

1 여왕
2 퀼트
3 다람쥐
4 (액체를) 짜다

1 dziqueen
2 fbquiltw
3 squirrelp
4 tsqueezem

C 단어의 알맞은 뜻을 선으로 연결한 후, 빈칸에 철자를 써서 단어를 완성하세요.

1	squid	(재)빠른	→	☐☐ick
2	square	오징어	→	☐☐☐id
3	quick	정사각형	→	☐☐☐are
4	quack	꽥꽥거리다	→	☐☐ack

D 보기 의 철자를 이용하여 그림에 알맞은 단어를 완성하세요.

1 | | | i | l | t |

2 | | | | e | e | z | e |

3 | | | e | e | n |

4 | | | | i | r | r | e | l |

보기

q
s
u

Practice More

A 그림에 알맞은 단어를 보기에서 찾아 사선지에 쓰세요.

보기

quilt	queen	quick	quack
squid	square	squirrel	squeeze

1 그것은 다. →

2 걸음이 다. →

3 은 친절하다. →

4 가 알록달록하다. →

5 모양이다. →

6 오리는 . →

7 즙을 자. →

8 는 작다. →

B 우리말과 같도록 빈칸에 알맞은 단어를 골라 문장을 완성하세요.

1 The ____________ is colorful. 그 퀼트는 알록달록하다.
(queen / quilt)

2 It is a ____________. 그것은 오징어다.
(squid / squirrel)

3 Ducks ____________. 오리들은 꽥꽥거린다.
(quick / quack)

4 It looks like a ____________. 그것은 정사각형 모양이다.
(square / squeeze)

5 The ____________ is kind. 그 여왕은 친절하다.
(queen / quilt)

6 He is a ____________ walker. 그는 걸음이 빠르다.
(quick / quack)

7 A ____________ is small. 다람쥐는 작다.
(squid / squirrel)

8 Let's ____________ juice from a lemon. 레몬에서 즙을 짜자.
(square / squeeze)

Unit 18 R r

1

쥐가 보이나요?

rat

[ræt]

쥐

2

밧줄을 당겨라.

rope

[roup]

밧줄

3

너의 라디오다.

radio

[réidiòu]

라디오

4

라쿤이 재빠르다.

raccoon

[rækúːn]

라쿤(미국너구리)

5

강을 건너자.

river

[rívər]

강

6

탑을 짓는다.

tower

[táuər]

탑

7

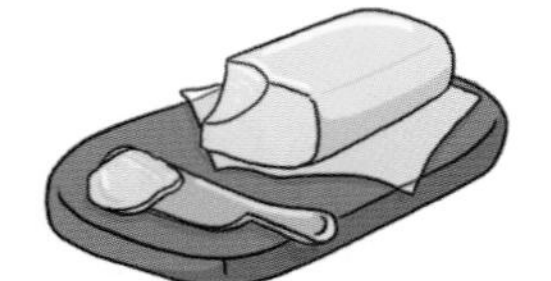

버터가 신선하다.

butter

[bʌ́tər]

버터

8

망치를 사용해라.

hammer

[hǽmər]

망치

영어 단어를 큰 소리로 읽으면서 쓰세요.

rat rat
쥐

rope rope
밧줄

radio radio
라디오

raccoon raccoon
라쿤
(미국너구리)

river river
강

tower tower
탑

butter butter
버터

hammer hammer
망치

- rat, rope, radio, raccoon의 r은 [르]와 비슷한 소리가 납니다.
- river, tower, butter, hammer에서 끝 글자 er은 [-얼]과 비슷한 소리가 납니다.

A 단어에 알맞은 그림을 찾아 번호를 쓰세요.

rat ◯ tower ◯ river ◯ raccoon ◯

B 우리말 뜻에 맞는 단어를 찾아 동그라미 하세요.

1 밧줄
2 버터
3 망치
4 라디오

1 bsropecz
2 gbutterq
3 hammerjsx
4 muywradio

C 단어의 알맞은 뜻을 선으로 연결한 후, 빈칸에 철자를 써서 단어를 완성하세요.

1	rat	●	● 강	→	riv☐☐
2	river	●	● 탑	→	tow☐☐
3	tower	●	● 쥐	→	☐a☐
4	raccoon	●	● 라쿤	→	☐accoo☐

D 보기의 철자를 이용하여 그림에 알맞은 단어를 완성하세요.

1 ☐ o ☐ e

2 h a m m ☐ ☐

3 ☐ a ☐ i o

4 b u t t ☐ ☐

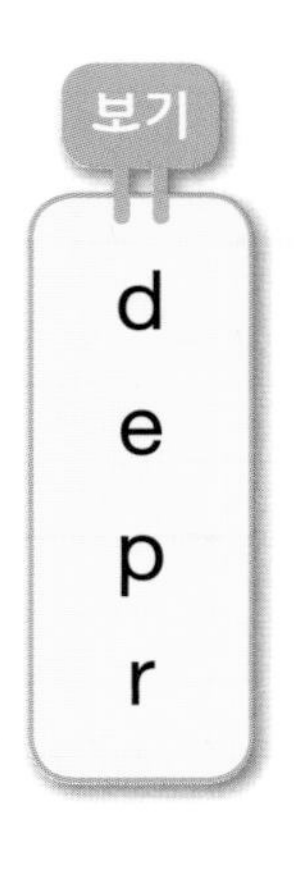

A 그림에 알맞은 단어를 보기에서 찾아 사선지에 쓰세요.

보기

rat	rope	radio	raccoon
river	tower	butter	hammer

1 가 보이나요? →

2 을 건너자. →

3 을 당겨라. →

4 을 짓는다. →

5 너의 다. →

6 이 재빠르다. →

7 가 신선하다. →

8 를 사용해라. →

B 우리말과 같도록 빈칸에 알맞은 단어를 골라 문장을 완성하세요.

1 Can you see a ________________? 당신은 쥐가 보이나요?
(rat / raccoon)

2 Pull the ________________. 그 밧줄을 당겨라.
(rope / radio)

3 Let's cross the ________________. 강을 건너자.
(river / tower)

4 The ________________ is fresh. 그 버터는 신선하다.
(butter / hammer)

5 That is your ________________. 저것은 너의 라디오다.
(rope / radio)

6 They are building a ________________. 그들은 탑을 짓고 있다.
(river / tower)

7 Use the ________________. 그 망치를 사용해라.
(butter / hammer)

8 The ________________ moves fast. 그 라쿤은 빠르게 움직인다.
(rat / raccoon)

Unit 19 S s

1

바다가 잔잔하다.

sea

[siː]

바다

2

하늘이 어둡다.

sky

[skai]

하늘

3

별이 빛난다.

star

[stɑːr]

별

4

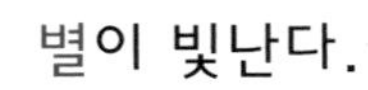

막대기를 사용해라.

stick

[stik]

막대기

5

신발 크기가 몇이죠?

shoe

[ʃuː]

신발

6

여기는 선물 가게다.

shop

[ʃap]

가게

7

정말 큰 상어구나!

shark

[ʃɑːrk]

상어

8

껍질이 단단하다.

shell

[ʃel]

껍데기[껍질]

영어 단어를 큰 소리로 읽으면서 쓰세요.

sea sea
바다

sky sky
하늘

star star
별

stick stick
막대기

shoe shoe
신발

shop shop
가게

shark shark
상어

shell shell
껍데기[껍질]

- sea, sky, star, stick의 s는 [스]와 비슷한 소리가 납니다.
- shoe, shop, shark, shell에서 sh는 [쉬]와 비슷한 소리가 납니다.

Practice

A 단어에 알맞은 그림을 찾아 번호를 쓰세요.

sea ◯ shop ◯ star ◯ shark ◯

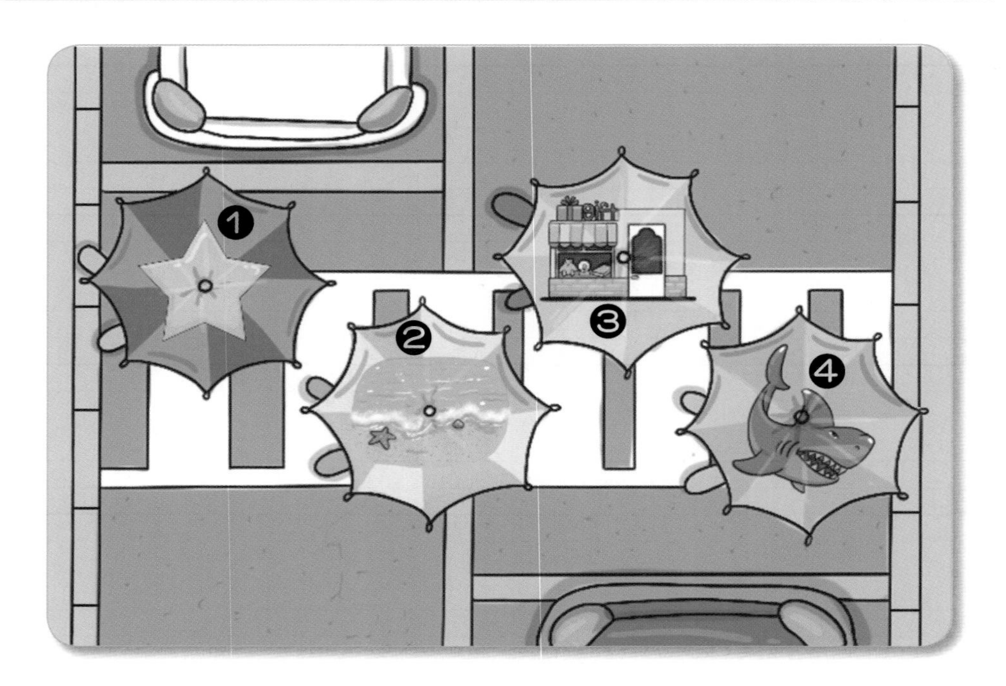

B 우리말 뜻에 맞는 단어를 찾아 동그라미 하세요.

1 하늘
2 신발
3 막대기
4 껍데기[껍질]

1 r q a s k y j l
2 c u s h o e p d
3 u s t i c k b h v
4 m w g s h e l l x

C 단어의 알맞은 뜻을 선으로 연결한 후, 빈칸에 철자를 써서 단어를 완성하세요.

D 보기의 철자를 이용하여 그림에 알맞은 단어를 완성하세요.

1

	k	

2

	t		c	k

3

		o	e

4

		e	l	l

Practice More

A 그림에 알맞은 단어를 보기에서 찾아 사선지에 쓰세요.

보기

sea	sky	star	stick
shoe	shop	shell	shark

1 이 어둡다. →

2  이 빛난다. →

3  가 잔잔하다. →

4 여기는 선물  다. →

5  크기가 몇이죠? →

6 정말 큰  구나! →

7  를 사용해라. →

8  이 단단하다. →

B 우리말과 같도록 빈칸에 알맞은 단어를 골라 문장을 완성하세요.

1 The ________________ is calm. 바다가 잔잔하다.
(sea / sky)

2 The ________________ is shining. 그 별은 빛나고 있다.
(star / stick)

3 This is a gift ________________. 여기는 선물 가게다.
(shoe / shop)

4 What a huge ________________! 정말 큰 상어구나!
(shell / shark)

5 The ________________ is dark. 하늘이 어둡다.
(sea / sky)

6 What's your ________________ size? 신발 크기가 몇이에요?
(shoe / shop)

7 Use the ________________. 그 막대기를 사용해라.
(star / stick)

8 It has a hard ________________. 그것은 껍질이 단단하다.
(shell / shark)

Unit 20 T t

1

지금은 2시다.

two

[tuː]

2, 둘

2

택시 운전사인가요?

taxi

[tǽksi]

택시

3

텐트 안에 있다.

tent

[tent]

텐트

4

호랑이가 무섭다.

tiger

[táigər]

호랑이

5

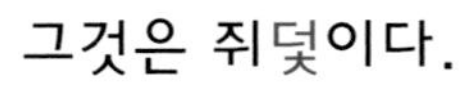

그것은 쥐덫이다.

trap

[træp]

덫

6

쓰레기가 많다.

trash

[træʃ]

쓰레기

7

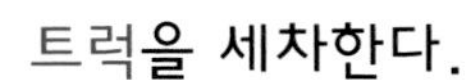

트럭을 세차한다.

truck

[trʌk]

트럭

8

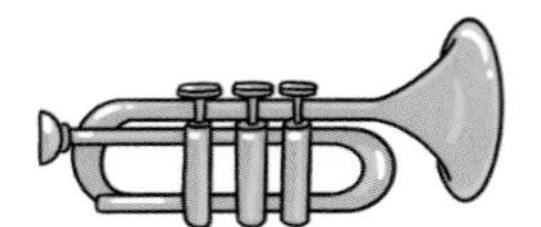

트럼펫이 있다.

trumpet

[trʌ́mpit]

트럼펫

영어 단어를 큰 소리로 읽으면서 쓰세요.

two two
2, 둘

taxi taxi
택시

tent tent
텐트

tiger tiger
호랑이

trap trap
덫

trash trash
쓰레기

truck truck
트럭

trumpet trumpet
트럼펫

Tips

- two, taxi, tent, tiger의 t는 [트]와 비슷한 소리가 납니다.
- trap, trash, truck, trumpet에서 tr은 [츠르]와 비슷한 소리가 납니다.

A 단어에 알맞은 그림을 찾아 번호를 쓰세요.

two ◯ tiger ◯ trap ◯ trumpet ◯

B 우리말 뜻에 맞는 단어를 찾아 동그라미 하세요.

1 택시
2 트럭
3 텐트
4 쓰레기

1 o t a x i c f h
2 v m t r u c k g
3 z t e n t d w j c
4 y n q t r a s h p

C 단어의 알맞은 뜻을 선으로 연결한 후, 빈칸에 철자를 써서 단어를 완성하세요.

1	two	덫	→	☐☐ap
2	trap	2, 둘	→	☐w☐
3	tiger	트럼펫	→	☐☐umpet
4	trumpet	호랑이	→	☐i☐er

D 보기 의 철자를 이용하여 그림에 알맞은 단어를 완성하세요.

1 | ☐ | e | ☐ | t |

2 | ☐ | a | ☐ | i |

3 | ☐ | ☐ | u | c | k |

4 | ☐ | ☐ | a | s | h |

보기

n
r
t
x

A 그림에 알맞은 단어를 보기에서 찾아 사선지에 쓰세요.

보기

two	taxi	tent	tiger
trap	trash	truck	trumpet

1 지금은 2시다. →

2 가 무섭다. →

3 운전사인가요? →

4 그것은 쥐 이다. →

5 안에 있다. →

6 을 세차한다. →

7 가 많다. →

8 이 있다. →

B 우리말과 같도록 빈칸에 알맞은 단어를 골라 문장을 완성하세요.

1 It is ________________ o'clock now. 지금은 2시다.
(two / trap)

2 Are you a ________________ driver? 당신은 택시 운전사인가요?
(taxi / truck)

3 There is a lot of ________________. 쓰레기가 많다.
(tent / trash)

4 Tom has a ________________. 톰은 트럼펫을 갖고 있다.
(tiger / trumpet)

5 It is a mouse ________________. 그것은 쥐덫이다.
(two / trap)

6 Raccoons are in the ________________. 라쿤들이 그 텐트에 있다.
(tent / trash)

7 He is washing a ________________. 그는 트럭을 세차하고 있다.
(taxi / truck)

8 This ________________ is scary. 이 호랑이는 무섭다.
(tiger / trumpet)

Review Unit 16-20

A 다음 영어 단어의 우리말 뜻을 쓰세요.

1 sky → ☐
2 star → ☐
3 shoe → ☐
4 plane → ☐
5 play → ☐
6 quilt → ☐
7 shark → ☐
8 pizza → ☐
9 river → ☐
10 queen → ☐
11 trash → ☐
12 hammer → ☐

B 다음 우리말 뜻에 맞는 영어 단어를 완성하세요.

1 핀 → ☐ i ☐
2 쥐 → ☐ a ☐
3 바다 → ☐ e ☐
4 2, 둘 → ☐ w ☐
5 택시 → ☐ a ☐ i
6 더하기 → ☐ ☐ us
7 밧줄 → ☐ o ☐ e
8 탑 → tow ☐ ☐
9 호랑이 → ☐ i ☐ er
10 피아노 → ☐ ian ☐
11 꽥꽥거리다 → ☐ ☐ ack
12 라쿤 (미국너구리) → ☐ accoo ☐

C 우리말과 같도록 괄호 안에서 알맞은 단어에 동그라미 하세요.

1 식물에 물을 주세요. → Water the (plant / pizza), please.

2 그는 트럭을 세차하고 있다. → He is washing a (taxi / truck).

3 그는 걸음이 빠르다. → He is a (plus / quick) walker.

4 그것은 껍질이 단단하다. → It has a hard (shell / stick).

5 그것은 정사각형 모양이다. → It looks like a (square / pencil).

6 톰은 트럼펫을 갖고 있다. → Tom has a (piano / trumpet).

7 레몬에서 즙을 짜자. → Let's (quack / squeeze) juice from a lemon.

D 우리말과 같도록 문장에 알맞은 단어를 완성하세요.

1 라쿤들이 그 텐트에 있다. → Raccoons are in the _ e _ t.

2 여기는 선물 가게다. → This is a gift _ _ o p.

3 그것은 쥐덫이다. → It is a mouse _ _ a p.

4 저것은 너의 라디오다. → That is your _ a _ i o.

5 그 막대기를 사용해라. → Use the _ t i c _.

6 그 버터는 신선하다. → The b u t t _ _ is fresh.

7 이것은 나의 연필이다. → This is my _ e _ c i l.

Unit 21 U u

1

바위 위로 올라가자.

up

[ʌp]

위로

2

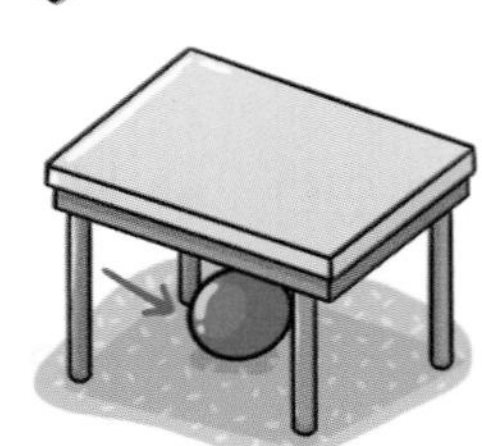

탁자 아래에 있다.

under

[ʌ́ndər]

아래에

3

누구 우산인가요?

umbrella

[ʌmbrélə]

우산

4

속옷을 갈아입어라.

underwear

[ʌ́ndərwὲər]

속옷

5

비행접시를 봐라.

UFO

[juːefóu]

비행접시

6

스마트폰을 사용한다.

use

[juːz]

사용하다

7

유니콘을 그린다.

unicorn

[júːnəkɔ̀ːrn]

유니콘

8

유니폼을 입는다.

uniform

[júːnəfɔ̀ːrm]

유니폼

영어 단어를 큰 소리로 읽으면서 쓰세요.

up up
위로

under under
아래에

umbrella umbrella
우산

underwear underwear
속옷

UFO UFO
비행접시

use use
사용하다

unicorn unicorn
유니콘

uniform uniform
유니폼

- up, under, umbrella, underwear의 u는 [어] 소리가 납니다.
- UFO, use, unicorn, uniform의 u는 [유우] 소리가 납니다.

A 단어에 알맞은 그림을 찾아 번호를 쓰세요.

up ◯ UFO ◯ under ◯ unicorn ◯

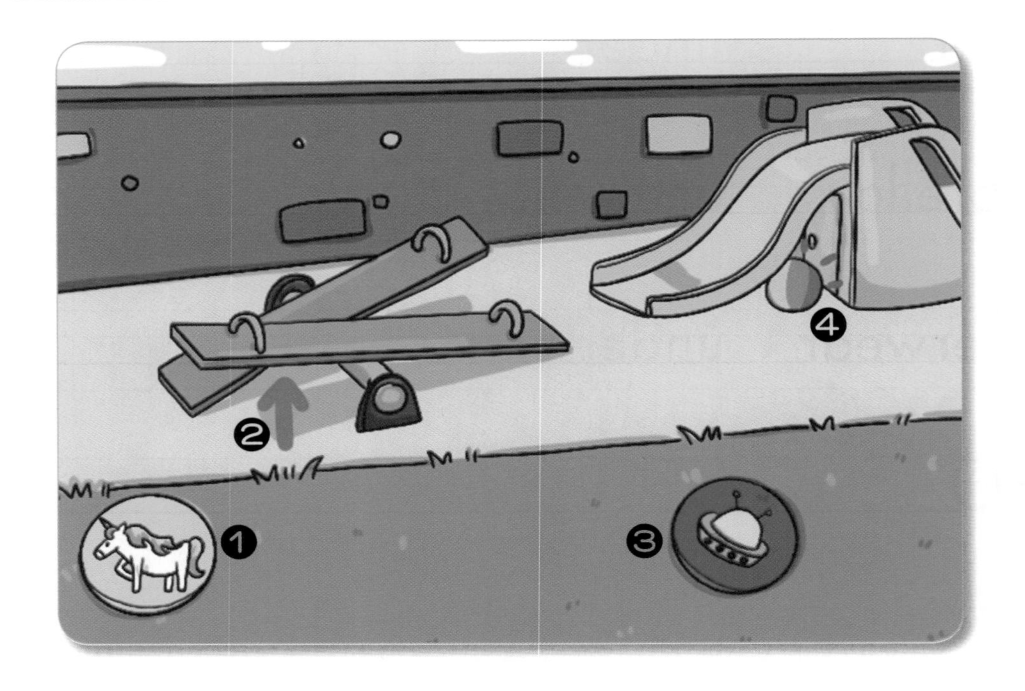

B 우리말 뜻에 맞는 단어를 찾아 동그라미 하세요.

1 사용하다
2 유니폼
3 우산
4 속옷

1 n f p u s e t k j
2 a u n i f o r m z
3 u m b r e l l a i k
4 v u n d e r w e a r

C 단어의 알맞은 뜻을 선으로 연결한 후, 빈칸에 철자를 써서 단어를 완성하세요.

1	UFO	위로	→ ☐p
2	up	아래에	→ ☐n☐er
3	under	유니콘	→ ☐☐icorn
4	unicorn	비행접시	→ ☐F☐

D 보기 의 철자를 이용하여 그림에 알맞은 단어를 완성하세요.

1 ☐ n d e r ☐ e a r

2 ☐ n i ☐ o r m

3 ☐ ☐ e

4 ☐ m ☐ r e l l a

보기

b f s u w

A 그림에 알맞은 단어를 보기 에서 찾아 사선지에 쓰세요.

보기

up	under	umbrella	underwear
UFO	use	unicorn	uniform

1 를 봐라. →

2 바위 올라가자. →

3 스마트폰을 . →

4 탁자 있다. →

5 을 그린다. →

6 누구 인가요? →

7 을 입는다. →

8 을 갈아입어라. →

B 우리말과 같도록 빈칸에 알맞은 단어를 골라 문장을 완성하세요.

1 Let's climb ____________ the rock. 그 바위 위로 올라가자.
(up / under)

2 Look at that ____________. 저 비행접시를 봐라.
(UFO / unicorn)

3 Whose ____________ is this? 이것은 누구의 우산인가요?
(use / umbrella)

4 She wears a ____________. 그녀는 유니폼을 입는다.
(uniform / underwear)

5 The ball is ____________ the table. 그 공은 탁자 아래에 있다.
(up / under)

6 She is drawing a ____________. 그녀는 유니콘을 그리고 있다.
(UFO / unicorn)

7 I ____________ my smartphone. 나는 스마트폰을 사용한다.
(use / umbrella)

8 Change your ____________. 너의 속옷을 갈아입어라.
(uniform / underwear)

Unit 22 V v

1

꽃병을 살 거다.

vase

[veis]

꽃병

2

비디오를 보자.

video

[vídiòu]

비디오, 동영상

3

바이올린을 배운다.

violin

[vàiəlín]

바이올린

4

거대한 화산이다.

volcano

[vɑlkéinou]

화산

5

동굴이 어디예요?

cave

[keiv]

동굴

6

벌집을 조심해라.

hive

[haiv]

벌집

7

한국에서 산다.

live

[liv]

살다

8

사랑 이야기다.

love

[lʌv]

사랑

영어 단어를 큰 소리로 읽으면서 쓰세요.

vase vase

꽃병

video video

비디오, 동영상

violin violin

바이올린

volcano volcano

화산

cave cave

동굴

hive hive

벌집

live live

살다

love love

사랑

- vase, video, violin, volcano의 v는 [브]와 비슷한 소리가 납니다.
- cave, hive, live, love에서 끝 글자 ve는 e가 소리가 나지 않습니다. 따라서 -ve의 단어의 끝소리는 [-브]와 비슷한 소리가 납니다.

A 단어에 알맞은 그림을 찾아 번호를 쓰세요.

love ◯ vase ◯ live ◯ violin ◯

B 우리말 뜻에 맞는 단어를 찾아 동그라미 하세요.

1 동굴
2 벌집
3 화산
4 비디오, 동영상

1 s u c a v e z n
2 d h i v e f t a
3 k w v o l c a n o
4 q b v i d e o j r

C 단어의 알맞은 뜻을 선으로 연결한 후, 빈칸에 철자를 써서 단어를 완성하세요.

1	live	사랑	→	lo□□
2	love	꽃병	→	□a□e
3	vase	살다	→	li□□
4	violin	바이올린	→	□io□in

D 보기 의 철자를 이용하여 그림에 알맞은 단어를 완성하세요.

1 □ i □ e o

2 □ o l c a n □

3 h i □ □

4 c a □ □

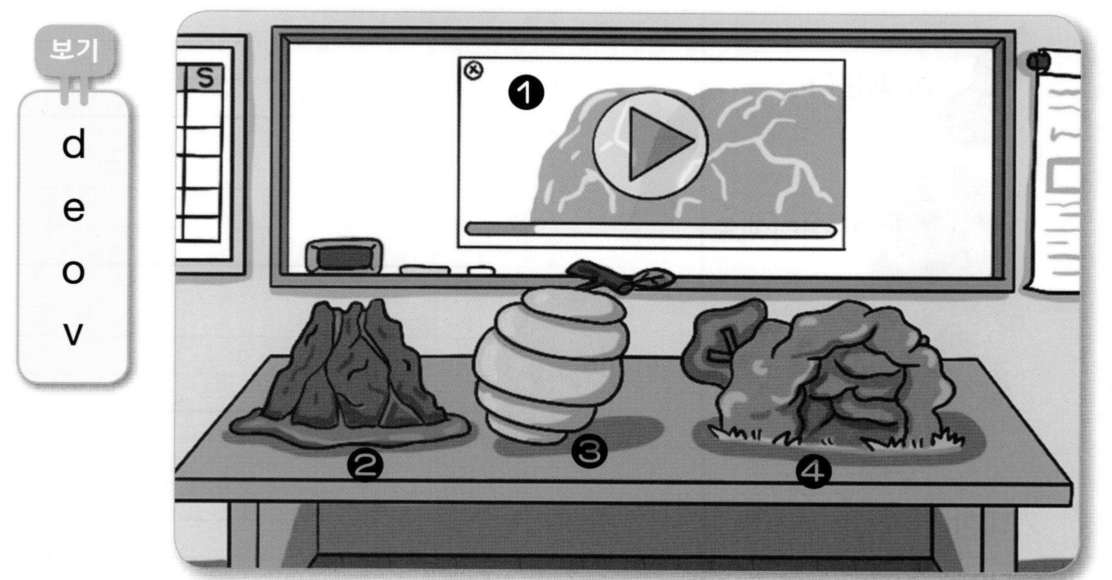

Practice More

A 그림에 알맞은 단어를 보기에서 찾아 사선지에 쓰세요.

보기

vase	video	violin	volcano
cave	hive	live	love

1 를 보자. →

2 한국에서 . →

3 을 살 거다. →

4 을 조심해라. →

5 을 배운다. →

6 이 어디예요? →

7 이야기다. →

8 거대한 이다. →

B 우리말과 같도록 빈칸에 알맞은 단어를 골라 문장을 완성하세요.

1 I will buy a ________________. 나는 꽃병을 살 것이다.
(vase / violin)

2 Let's watch the ________________. 그 비디오를 보자.
(video / volcano)

3 Watch out the ________________. 벌집을 조심해라.
(cave / hive)

4 It is a ________________ story. 그것은 사랑 이야기다.
(live / love)

5 He learns the ________________. 그는 바이올린을 배운다.
(vase / violin)

6 It is a huge ________________. 그것은 거대한 화산이다.
(video / volcano)

7 I ________________ in Korea. 나는 한국에서 산다.
(live / love)

8 Where is the ________________? 그 동굴은 어디에 있나요?
(cave / hive)

Unit 23 Ww

1

거미줄은 끈적거린다.

web

[web]

거미줄

2

단어 카드를 만들자.

word

[wəːrd]

단어

3

벌레가 꿈틀댄다.

worm

[wəːrm]

벌레

4

그는 마법사다.

wizard

[wízərd]

마법사

5

나비넥타이다.

bow

[bou]

나비매듭

6

눈이 녹는다.

snow

[snou]

눈

7

공을 던지지 마라.

throw

[θrou]

던지다

8

나무의 그림자다.

shadow

[ʃǽdou]

그림자

영어 단어를 큰 소리로 읽으면서 쓰세요.

web web
거미줄

word word
단어

worm worm
벌레

wizard wizard
마법사

bow bow
나비매듭

snow snow
눈

throw throw
던지다

shadow shadow
그림자

- web, word, worm, wizard의 w는 [우]와 비슷한 소리가 납니다.
- bow, snow, throw, shadow에서 끝 글자 ow는 [-오우]와 비슷한 소리가 납니다.

A 단어에 알맞은 그림을 찾아 번호를 쓰세요.

bow ◯	word ◯	snow ◯	worm ◯

B 우리말 뜻에 맞는 단어를 찾아 동그라미 하세요.

1 거미줄
2 그림자
3 마법사
4 던지다

1 m i q w e b g a
2 f z s h a d o w
3 k w i z a r d u s
4 t h r o w j l n x

C 단어의 알맞은 뜻을 선으로 연결한 후, 빈칸에 철자를 써서 단어를 완성하세요.

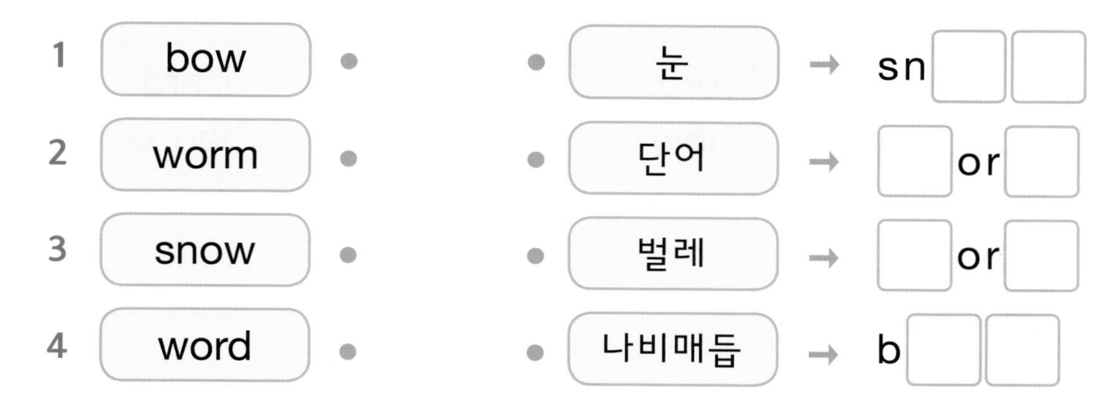

1 bow • • 눈 → sn☐☐

2 worm • • 단어 → ☐or☐

3 snow • • 벌레 → ☐or☐

4 word • • 나비매듭 → b☐☐

D 보기 의 철자를 이용하여 그림에 알맞은 단어를 완성하세요.

1 ☐ e ☐

2 ☐ i ☐ a r d

3 t h r ☐ ☐

4 s h a d ☐ ☐

Practice More

A 그림에 알맞은 단어를 보기에서 찾아 사선지에 쓰세요.

보기

web	word	worm	wizard
bow	snow	throw	shadow

1 은 끈적거린다. →

2 가 꿈틀댄다. →

3 넥타이이다. →

4 이 녹는다. →

5 ant 카드를 만들자. →

6 그는 다. →

7 공을 마라. →

8 나무의 다. →

B 우리말과 같도록 빈칸에 알맞은 단어를 골라 문장을 완성하세요.

1 A ________________ is sticky. 거미줄은 끈적거린다.
(bow / web)

2 The ________________ is wiggling. 그 벌레는 꿈틀대고 있다.
(worm / snow)

3 Don't ________________ a ball. 공을 던지지 마라.
(word / throw)

4 He is a ________________. 그는 마법사다.
(wizard / shadow)

5 It is a ________________ tie. 그것은 나비넥타이다.
(bow / web)

6 The ________________ is melting. 눈이 녹고 있다.
(worm / snow)

7 Let's make ________________ cards. 단어 카드들을 만들자.
(word / throw)

8 It is the ________________ of a tree. 그것은 나무의 그림자다.
(wizard / shadow)

Unit 24 Xx · Yy

1

도끼를 내려놓아라.

ax

[æks]

도끼

2

상자가 무겁다.

box

[bɑks]

상자

3

6페이지를 보아라.

six

[siks]

6, 여섯

4

왁스는 얼마예요?

wax

[wæks]

왁스

5

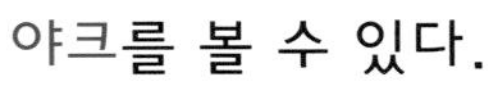

야크를 볼 수 있다.

yak

[jæk]

야크(털이 긴 들소)

6

요요하며 놀자.

yo-yo

[jóujou]

요요

7

집에 마당이 있다.

yard

[jɑːrd]

마당

8

요트가 멋있다.

yacht

[jɑt]

요트

영어 단어를 큰 소리로 읽으면서 쓰세요.

ax 도끼	ax
box 상자	box
six 6, 여섯	six
wax 왁스	wax
yak 야크 (털이 긴 들소)	yak
yo-yo 요요	yo-yo
yard 마당	yard
yacht 요트	yacht

- ax, box, six, wax의 끝 글자 x는 [-ㅋ스]와 비슷한 소리가 납니다.
- yak, yo-yo, yard, yacht의 y는 [이]와 비슷한 소리가 납니다.

Practice

A 단어에 알맞은 그림을 찾아 번호를 쓰세요.

six ◯ wax ◯ yard ◯ yo-yo ◯

B 우리말 뜻에 맞는 단어를 찾아 동그라미 하세요.

1 도끼
2 상자
3 요트
4 야크

1 eyzaxbjk
2 nmboxshq
3 pdyachtwv
4 gyakuitfc

C 단어의 알맞은 뜻을 선으로 연결한 후, 빈칸에 철자를 써서 단어를 완성하세요.

1	six	왁스	→ □ a □
2	wax	마당	→ □ ar □
3	yard	요요	→ □ o- □ o
4	yo-yo	6, 여섯	→ □ i □

D 보기의 철자를 이용하여 그림에 알맞은 단어를 완성하세요.

1 | a | □ |

2 | □ | o | □ |

3 | □ | a | □ |

4 | □ | a | c | h | □ |

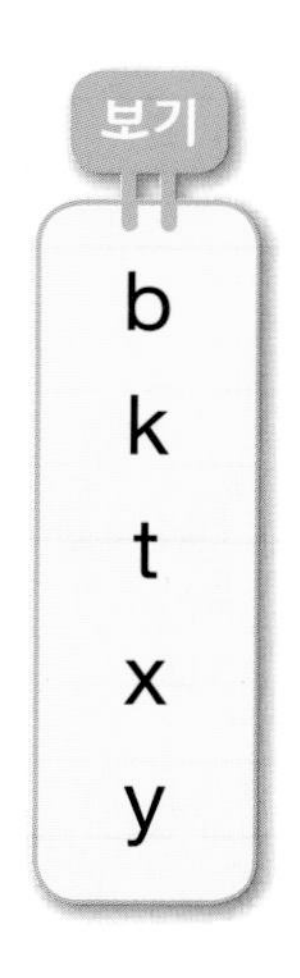

Practice More

A 그림에 알맞은 단어를 보기 에서 찾아 사선지에 쓰세요.

보기

ax	box	six	wax
yak	yo-yo	yard	yacht

1 6 페이지를 보아라. → ______

2 를 내려놓아라. → ______

3 를 볼 수 있다. → ______

4 하며 놀자. → ______

5 가 무겁다. → ______

6 는 얼마예요? → ______

7 집에 이 있다. → ______

8 가 멋있다. → ______

B 우리말과 같도록 빈칸에 알맞은 단어를 골라 문장을 완성하세요.

1 Put down the __________. 도끼를 내려놓아라.
(ax / box)

2 Look at page __________. 6페이지를 보아라.
(six / wax)

3 You can see a __________. 너는 야크를 볼 수 있다.
(yak / yard)

4 Let's play __________. 요요하며 놀자.
(yo-yo / yacht)

5 The __________ is heavy. 그 상자는 무겁다.
(ax / box)

6 How much is the __________? 왁스는 얼마예요?
(six / wax)

7 His house has a __________. 그의 집에는 마당이 있다.
(yak / yard)

8 Your __________ looks nice. 너의 요트는 멋있어 보인다.
(yo-yo / yacht)

Unit 25 Z z

동물원에 간다.

zoo

[zu:]

동물원

2

숫자 0이다.

zero

[zí(:)rou]

0, 영

위험 지역이다.

zone

[zoun]

지역

4

좀비 영화다.

zombie

[zɑ́(:)mbi]

좀비

크기가 작다.

size

[saiz]

크기

6

미로를 빠져나가자.

maze

[meiz]

미로

7

졸지 마라.

doze

[douz]

졸다

8

자주 재채기를 한다.

sneeze

[sni:z]

재채기하다

영어 단어를 큰 소리로 읽으면서 쓰세요.

zoo zoo

동물원

zero zero

0, 영

zone zone

지역

zombie zombie

좀비

size size

크기

maze maze

미로

doze doze

졸다

sneeze sneeze

재채기하다

- zoo, zero, zone, zombie의 z는 [즈]와 비슷한 소리가 납니다.
- size, maze, doze, sneeze에서 끝 글자 ze는 e가 소리가 나지 않습니다. 따라서 -ze의 단어의 끝소리는 [-즈]와 비슷한 소리가 납니다.

A 단어에 알맞은 그림을 찾아 번호를 쓰세요.

size ◯ zero ◯ zone ◯ sneeze ◯

B 우리말 뜻에 맞는 단어를 찾아 동그라미 하세요.

1 동물원
2 미로
3 좀비
4 졸다

1 s t z o o i u n
2 c m a z e g h f
3 v x d z o m b i e
4 q w j d o z e k l

C 단어의 알맞은 뜻을 선으로 연결한 후, 빈칸에 철자를 써서 단어를 완성하세요.

1	zero	지역	→	☐ o ☐ e
2	size	0, 영	→	☐ er ☐
3	zone	크기	→	si ☐ ☐
4	sneeze	재채기하다	→	snee ☐ ☐

D 보기 의 철자를 이용하여 그림에 알맞은 단어를 완성하세요.

1 | m | a | | |

2 | | o | m | | i | e |

3 | | | o |

4 | d | o | | |

보기

b
e
o
z

A 그림에 알맞은 단어를 보기에서 찾아 사선지에 쓰세요.

보기

zoo	zero	zone	zombie
size	maze	doze	sneeze

1 에 간다. →

2 위험 이다. →

3 가 작다. →

4 를 빠져나가자. →

5 숫자 이다. →

6 영화다. →

7 마라. →

8 자주 . →

B 우리말과 같도록 빈칸에 알맞은 단어를 골라 문장을 완성하세요.

1 It is small in ____________. 그것은 크기가 작다.
(zero / size)

2 I am going to the ____________. 나는 동물원에 가고 있다.
(zoo / maze)

3 This is a danger ____________. 이곳은 위험 지역이다.
(zone / zombie)

4 Don't ____________ in class. 수업 중에 졸지 마라.
(doze / sneeze)

5 It is the number ____________. 그것은 숫자 0이다.
(zero / size)

6 Let's go through the ____________. 미로를 빠져나가자.
(zoo / maze)

7 It is a ____________ movie. 그것은 좀비 영화다.
(zone / zombie)

8 I often ____________. 나는 자주 재채기를 한다.
(doze / sneeze)

Review Unit 21-25

A 다음 영어 단어의 우리말 뜻을 쓰세요.

1 box → ☐ 2 zoo → ☐

3 web → ☐ 4 wax → ☐

5 yard → ☐ 6 maze → ☐

7 yo-yo → ☐ 8 yacht → ☐

9 wizard → ☐ 10 shadow → ☐

11 volcano → ☐ 12 umbrella → ☐

B 다음 우리말 뜻에 맞는 영어 단어를 완성하세요.

1 도끼 → a☐ 2 비행접시 → ☐FO

3 사랑 → lo☐☐ 4 6, 여섯 → ☐i☐

5 꽃병 → ☐a☐e 6 0, 영 → ☐er☐

7 크기 → si☐☐ 8 단어 → ☐or☐

9 벌집 → hi☐☐ 10 바이올린 → ☐ioli☐

11 야크 (털이 긴 들소) → ☐a☐ 12 유니폼 → ☐ni☐orm

C 우리말과 같도록 괄호 안에서 알맞은 단어에 동그라미 하세요.

1 그 공은 탁자 아래에 있다. → The ball is (up / under) the table.

2 그 동굴은 어디에 있나요? → Where is the (cave / hive)?

3 그 벌레는 꿈틀대고 있다. → The (worm / unicorn) is wiggling.

4 그것은 좀비 영화다. → It is a (love / zombie) movie.

5 너의 속옷을 갈아입어라. → Change your (uniform / underwear).

6 나는 자주 재채기를 한다. → I often (doze / sneeze).

7 이곳은 위험 지역이다. → This is a danger (zone / yard).

D 우리말과 같도록 문장에 알맞은 단어를 완성하세요.

1 그 바위 위로 올라가자. → Let's climb [ ][p] the rock.

2 나는 스마트폰을 사용한다. → I [ ][ ][e] my smartphone.

3 나는 한국에서 산다. → I [l][i][ ][ ] in Korea.

4 그 비디오를 보자. → Let's watch the [ ][i][ ][e][o].

5 눈이 녹고 있다. → The [s][n][ ][ ] is melting.

6 수업 중에 졸지 마라. → Don't [d][o][ ][ ] in class.

7 공을 던지지 마라. → Don't [t][h][r][ ][ ] a ball.

Phonics Words

VOCABULARY MENTOR JOY START 1

Answers

Answers

Unit 01 Aa

Practice

A apple ② arrow ③
apron ④ angel ①

B 1 ant 2 ape
3 alien 4 angry

C 1 앞치마 → apron
2 사과 → apple
3 화살 → arrow
4 천사 → angel

D 1 ant 2 alien
3 angry 4 ape

Practice More

A 1 angry 2 ant
3 apple 4 arrow
5 ape 6 apron
7 angel 8 alien

B 1 ant 2 arrow
3 apple 4 angry
5 apron 6 ape
7 alien 8 angel

Unit 02 Bb

Practice

A bat ④ blue ①
black ② button ③

B 1 baby 2 blank
3 banana 4 blender

C 1 파란(색) → blue
2 검은(색) → black
3 방망이 → bat
4 단추 → button

D 1 baby 2 blender
3 blank 4 banana

Practice More

A 1 blue 2 baby
3 blank 4 bat
5 black 6 banana
7 blender 8 button

B 1 bat 2 baby
3 blue 4 black
5 button 6 banana
7 blank 8 blender

Unit 03 Cc

Practice

A cat ② child ③
cherry ① camel ④

B 1 chess 2 chain
3 camera 4 cap

C 1 고양이 → cat
2 아이 → child
3 낙타 → camel
4 체리 → cherry

D 1 cap 2 chess
3 camera 4 chain

Practice More

A	1 chain	2 camel
	3 child	4 camera
	5 chess	6 cap
	7 cat	8 cherry
B	1 cap	2 chess
	3 cat	4 chain
	5 camel	6 cherry
	7 camera	8 child

Unit 04 D d

Practice

A	dog ①	drum ④
	dice ②	dragon ③
B	1 dish	2 doctor
	3 drive	4 dress
C	1 개 → dog	
	2 주사위 → dice	
	3 북 → drum	
	4 용 → dragon	
D	1 dish	2 doctor
	3 drive	4 dress

Practice More

A	1 dog	2 dish
	3 drum	4 dress
	5 dice	6 drive
	7 dragon	8 doctor
B	1 dice	2 drum
	3 dog	4 dish
	5 dress	6 drive
	7 doctor	8 dragon

Unit 05 E e

Practice

A	egg ②	east ④
	eight ①	easel ③
B	1 eat	2 engine
	3 eagle	4 elephant
C	1 달걀 → egg	
	2 동쪽 → east	
	3 이젤 → easel	
	4 8, 여덟 → eight	
D	1 eat	2 engine
	3 eagle	4 elephant

Practice More

A	1 eight	2 eat
	3 egg	4 east
	5 eagle	6 elephant
	7 engine	8 easel
B	1 egg	2 eight
	3 east	4 eagle
	5 eat	6 easel
	7 engine	8 elephant

Review Unit 01-05

A	1 사과	2 접시
	3 체스	4 검은(색)
	5 앞치마	6 드레스
	7 독수리	8 카메라
	9 천사	10 체리
	11 운전하다	12 엔진

B 1 ant 2 dog
3 egg 4 cat
5 bat 6 ape
7 eat 8 cap
9 blue 10 drum
11 baby 12 chain

C 1 arrow 2 eight
3 doctor 4 child
5 dragon 6 blender
7 elephant

D 1 dice 2 blank
3 camel 4 east
5 angry 6 banana
7 easel

Unit 06 F f

Practice

A four ① flag ④
face ② flute ③

B 1 fire 2 fog
3 floor 4 fly

C 1 4, 넷 → four
2 깃발 → flag
3 얼굴 → face
4 플루트 → flute

D 1 fog 2 fly
3 fire 4 floor

Practice More

A 1 fly 2 four
3 fog 4 face
5 flag 6 fire
7 floor 8 flute

B 1 fly 2 face
3 flute 4 fire
5 fog 6 four
7 flag 8 floor

Unit 07 G g

Practice

A gum ③ grape ②
graph ④ guitar ①

B 1 gas 2 golf
3 grass 4 grill

C 1 껌 → gum
2 그래프 → graph
3 포도 → grape
4 기타 → guitar

D 1 gas 2 grill
3 golf 4 grass

Practice More

A 1 grape 2 graph
3 golf 4 gum
5 gas 6 grill
7 grass 8 guitar

B 1 golf 2 grill
3 graph 4 gum
5 guitar 6 gas
7 grass 8 grape

Unit 08 H h

Practice

A hat ④ moth ①
tooth ② honey ③

B 1 harp 2 Earth
3 cloth 4 hair

C 1 꿀 → honey
2 이(빨) → tooth
3 나방 → moth
4 모자 → hat

D 1 hair 2 harp
3 Earth 4 cloth

Practice More

A 1 moth 2 tooth
3 harp 4 hat
5 cloth 6 hair
7 honey 8 Earth

B 1 hat 2 harp
3 cloth 4 Earth
5 hair 6 moth
7 tooth 8 honey

Unit 09 I i

Practice

A ice ② ivy ④
Italy ① ice cream ③

B 1 ink 2 iron
3 igloo 4 iguana

C 1 담쟁이덩굴 → ivy
2 얼음 → ice
3 이탈리아 → Italy
4 아이스크림 → ice cream

D 1 ink 2 iron
3 igloo 4 iguana

Practice More

A 1 ink 2 ice cream
3 igloo 4 ice
5 iron 6 iguana
7 Italy 8 ivy

B 1 ice 2 ink
3 iron 4 Italy
5 ivy 6 igloo
7 iguana 8 Ice cream

Unit 10

Practice

A jam ② jug ④
jelly ③ jungle ①

B 1 jet 2 jeep
3 jump 4 juggle

C 1 주전자 → jug
2 잼 → jam
3 젤리 → jelly
4 정글, 밀림 → jungle

D 1 jet 2 jump
3 jeep 4 juggle

Practice More

A 1 jump 2 jelly
3 jam 4 jug

5 jet 6 jeep
7 jungle 8 juggle

B 1 jug 2 jump
3 jeep 4 jelly
5 jet 6 jam
7 juggle 8 jungle

Review Unit 06~10

A 1 모자 2 가스
3 잉크 4 얼음
5 지프차 6 다리미
7 깃발 8 젤리
9 이글루 10 꿀
11 지구 12 아이스크림

B 1 gum 2 jam
3 jet 4 fly
5 jug 6 jump
7 four 8 cloth
9 grill 10 grass
11 tooth 12 hair

C 1 harp 2 fire
3 face 4 iguana
5 guitar 6 grape
7 jungle

D 1 fog 2 golf
3 moth 4 graph
5 floor 6 flute
7 juggle

Unit 11 Kk

Practice

A link ④ wink ①
kiss ② koala ③

B 1 kite 2 key
3 bank 4 tank

C 1 뽀뽀 → kiss
2 윙크 → wink
3 고리 → link
4 코알라 → koala

D 1 key 2 kite
3 tank 4 bank

Practice More

A 1 kite 2 bank
3 kiss 4 wink
5 key 6 link
7 tank 8 koala

B 1 bank 2 key
3 kiss 4 tank
5 kite 6 koala
7 wink 8 links

Unit 12 

Practice

A lion ④ lock ③
ball ① bell ②

B 1 lady 2 hill
3 well 4 log

C 1 공 → ball
2 종 → bell
3 자물쇠 → lock
4 사자 → lion

D 1 log 2 lady
3 well 4 hill

Practice More

A 1 ball 2 lion
3 lady 4 log
5 bell 6 lock
7 hill 8 well

B 1 log 2 ball
3 lion 4 hill
5 bell 6 lock
7 lady 8 well

Unit 13 M m

Practice

A mat ② bomb ①
comb ④ mango ③

B 1 mask 2 man
3 climb 4 lamb

C 1 매트 → mat
2 빗 → comb
3 폭탄 → bomb
4 망고 → mango

D 1 man 2 mask
3 climb 4 lamb

Practice More

A 1 mat 2 bomb
3 mango 4 mask
5 comb 6 man
7 lamb 8 climb

B 1 bomb 2 mat
3 mask 4 lamb
5 man 6 comb
7 mango 8 climb

Unit 14 N n

Practice

A news ④ noon ②
king ③ ring ①

B 1 night 2 song
3 net 4 swing

C 1 반지 → ring
2 왕 → king
3 정오 → noon
4 뉴스 → news

D 1 net 2 song
3 night 4 swing

Practice More

A 1 news 2 net
3 king 4 ring
5 song 6 noon
7 swing 8 night

B 1 song 2 net
3 noon 4 ring
5 king 6 news
7 night 8 swing

Unit 15 O o

Practice

A own ④ October ②
oval ③ octopus ①

B 1 ox 2 ostrich
3 open 4 old

C 1 소유하다 → own
2 타원(형) → oval
3 10월 → October
4 문어 → octopus

D 1 old 2 open
3 ox 4 ostrich

Practice More

A 1 oval 2 ox
3 old 4 ostrich
5 open 6 October
7 own 8 octopus

B 1 ox 2 old
3 ostrich 4 own
5 oval 6 October
7 open 8 octopus

Review Unit 11-15

A 1 매트 2 그물
3 나이 많은 4 공
5 폭탄 6 고리
7 뉴스 8 언덕
9 연 10 망고
11 그네 12 문어

B 1 ox 2 key
3 man 4 bell
5 lion 6 king
7 mask 8 lock
9 kiss 10 bank
11 lamb 12 koala

C 1 log 2 tank
3 well 4 lady
5 climb 6 noon
7 ostrich

D 1 ring 2 oval
3 comb 4 open
5 night 6 wink
7 song

Unit 16 P p

Practice

A pin ④ plane ②
plus ③ pencil ①

B 1 pizza 2 plant
3 play 4 piano

C 1 핀 → pin
2 더하기 → plus
3 비행기 → plane
4 연필 → pencil

D 1 play 2 pizza
3 plant 4 piano

Practice More

A 1 pin 2 play
3 plant 4 pizza

	5 plane	6 piano
	7 plus	8 pencil
B	1 plane	2 play
	3 pin	4 pizza
	5 pencil	6 plus
	7 plant	8 piano

Unit 17 Q q

Practice

A quick ④ quack ③
squid ② square ①

B 1 queen 2 quilt
3 squirrel 4 squeeze

C 1 오징어 → squid
2 정사각형 → square
3 (재)빠른 → quick
4 꽥꽥거리다 → quack

D 1 quilt 2 squeeze
3 queen 4 squirrel

Practice More

A 1 squid 2 quick
3 queen 4 quilt
5 square 6 quack
7 squeeze 8 squirrel

B 1 quilt 2 squid
3 quack 4 square
5 queen 6 quick
7 squirrel 8 squeeze

Unit 18 R r

Practice

A rat ③ tower ④
river ① raccoon ②

B 1 rope 2 butter
3 hammer 4 radio

C 1 쥐 → rat
2 강 → river
3 탑 → tower
4 라쿤 → raccoon

D 1 rope 2 hammer
3 radio 4 butter

Practice More

A 1 rat 2 river
3 rope 4 tower
5 radio 6 raccoon
7 butter 8 hammer

B 1 rat 2 rope
3 river 4 butter
5 radio 6 tower
7 hammer 8 raccoon

Unit 19 S s

Practice

A sea ② shop ③
star ① shark ④

B 1 sky 2 shoe
3 stick 4 shell

C 1 바다 → sea
2 별 → star
3 가게 → shop
4 상어 → shark

D 1 sky 2 stick
3 shoe 4 shell

Practice More

A 1 sky 2 star
3 sea 4 shop
5 shoe 6 shark
7 stick 8 shell

B 1 sea 2 star
3 shop 4 shark
5 sky 6 shoe
7 stick 8 shell

Unit 20 T t

Practice

A two ① tiger ④
trap ③ trumpet ②

B 1 taxi 2 truck
3 tent 4 trash

C 1 2, 둘 → two
2 덫 → trap
3 호랑이 → tiger
4 트럼펫 → trumpet

D 1 tent 2 taxi
3 truck 4 trash

Practice More

A 1 two 2 tiger
3 taxi 4 trap
5 tent 6 truck
7 trash 8 trumpet

B 1 two 2 taxi
3 trash 4 trumpet
5 trap 6 tent
7 truck 8 tiger

Review Unit 16-20

A 1 하늘 2 별
3 신발 4 비행기
5 놀다 6 퀼트
7 상어 8 피자
9 강 10 여왕
11 쓰레기 12 망치

B 1 pin 2 rat
3 sea 4 two
5 taxi 6 plus
7 rope 8 tower
9 tiger 10 piano
11 quack 12 raccoon

C 1 plant 2 truck
3 quick 4 shell
5 square 6 trumpet
7 squeeze

D 1 tent 2 shop
3 trap 4 radio
5 stick 6 butter
7 pencil

Unit 21 U u

Practice

A up ② UFO ③
under ④ unicorn ①

B 1 use 2 uniform
3 umbrella 4 underwear

C 1 비행접시 → UFO
2 위로 → up
3 아래에 → under
4 유니콘 → unicorn

D 1 underwear 2 uniform
3 use 4 umbrella

Practice More

A 1 UFO 2 up
3 use 4 under
5 unicorn 6 umbrella
7 uniform 8 underwear

B 1 up 2 UFO
3 umbrella 4 uniform
5 under 6 unicorn
7 use 8 underwear

Unit 22 V v

Practice

A love ③ vase ②
live ④ violin ①

B 1 cave 2 hive
3 volcano 4 video

C 1 살다 → live
2 사랑 → love
3 꽃병 → vase
4 바이올린 → violin

D 1 video 2 volcano
3 hive 4 cave

Practice More

A 1 video 2 live
3 vase 4 hive
5 violin 6 cave
7 love 8 volcano

B 1 vase 2 video
3 hive 4 love
5 violin 6 volcano
7 live 8 cave

Unit 23

Practice

A bow ② word ①
snow ④ worm ③

B 1 web 2 shadow
3 wizard 4 throw

C 1 나비매듭 → bow
2 벌레 → worm
3 눈 → snow
4 단어 → word

D 1 web 2 wizard
3 throw 4 shadow

Practice More

A 1 web 2 worm
3 bow 4 snow

5 word
6 wizard
7 throw
8 shadow

B
1 web
2 worm
3 throw
4 wizard
5 bow
6 snow
7 word
8 shadow

Unit 24 Xx·Yy

Practice

A
six ①
wax ④
yard ③
yo-yo ②

B
1 ax
2 box
3 yacht
4 yak

C
1 6, 여섯 → six
2 왁스 → wax
3 마당 → yard
4 요요 → yo-yo

D
1 ax
2 box
3 yak
4 yacht

Practice More

A
1 six
2 ax
3 yak
4 yo-yo
5 box
6 wax
7 yard
8 yacht

B
1 ax
2 six
3 yak
4 yo-yo
5 box
6 wax
7 yard
8 yacht

Unit 25 Zz

Practice

A
size ③
zero ②
zone ①
sneeze ④

B
1 zoo
2 maze
3 zombie
4 doze

C
1 0, 영 → zero
2 크기 → size
3 지역 → zone
4 재채기하다 → sneeze

D
1 maze
2 zombie
3 zoo
4 doze

Practice More

A
1 zoo
2 zone
3 size
4 maze
5 zero
6 zombie
7 doze
8 sneeze

B
1 size
2 zoo
3 zone
4 doze
5 zero
6 maze
7 zombie
8 sneeze

Review Unit 21-25

A
1 상자
2 동물원
3 거미줄
4 왁스
5 마당
6 미로
7 요요
8 요트
9 마법사
10 그림자
11 화산
12 우산

B	1	ax	2	UFO
	3	love	4	six
	5	vase	6	zero
	7	size	8	word
	9	hive	10	violin
	11	yak	12	uniform
C	1	under	2	cave
	3	worm	4	zombie
	5	underwear	6	sneeze
	7	zone		
D	1	up	2	use
	3	live	4	video
	5	snow	6	doze
	7	throw		

memo

Longman

Vocabulary MENTOR JOY

Phonics Words

WORKBOOK

START

1

보기

ape	ant	alien	arrow
apple	angel	apron	angry

A 우리말 뜻을 보고 알맞은 단어를 보기 에서 찾아 쓰세요.

1 개미 → ____________

2 사과 → ____________

3 유인원 → ____________

4 외계인 → ____________

5 화살 → ____________

6 화난 → ____________

7 천사 → ____________

8 앞치마 → ____________

B 우리말과 같도록 보기 에서 알맞은 단어를 찾아 문장을 완성하세요.

1 그녀는 매우 **화가 나** 있다. → She is very ____________.

2 그것은 **개미**다. → It is an ____________.

3 저것은 **사과**다. → That is an ____________.

4 이것은 **화살**이다. → This is an ____________.

5 침팬지는 **유인원**이다. → A chimpanzee is an ____________.

6 그 **외계인**을 보아라. → Look at the ____________.

7 **앞치마**를 두르세요. → Wear an ____________, please.

8 당신은 **천사**가 보이나요? → Do you see an ____________?

보기

bat	baby	blue	black
blank	banana	button	blender

A 우리말 뜻을 보고 알맞은 단어를 보기 에서 찾아 쓰세요.

1 아기 → ____________

2 빈칸 → ____________

3 단추 → ____________

4 방망이 → ____________

5 바나나 → ____________

6 믹서 → ____________

7 파란(색) → ____________

8 검은(색) → ____________

B 우리말과 같도록 보기 에서 알맞은 단어를 찾아 문장을 완성하세요.

1 하늘이 **파랗**다. → The sky is ____________.

2 그 **아기**는 울고 있다. → The ____________ is crying.

3 **빈칸**을 채워라. → Fill in the ____________.

4 그것은 야구 **방망이**다. → It is a baseball ____________.

5 그 자동차는 **검**다. → The car is ____________.

6 나는 **바나나** 한 개가 있다. → I have a ____________.

7 우리는 **믹서**가 필요하다. → We need a ____________.

8 이것은 나의 **단추**다. → This is my ____________.

보기

cap	cat	chess	chain
camel	camera	child	cherry

A 우리말 뜻을 보고 알맞은 단어를 보기 에서 찾아 쓰세요.

1 사슬 → ______________

2 체스 → ______________

3 낙타 → ______________

4 아이 → ______________

5 체리 → ______________

6 고양이 → ______________

7 카메라 → ______________

8 야구모자 → ______________

B 우리말과 같도록 보기 에서 알맞은 단어를 찾아 문장을 완성하세요.

1 저것은 너의 **야구모자**다. → That is your ______________.

2 그 **사슬**은 길다. → The ______________ is long.

3 그 **고양이**는 사랑스럽다. → The ______________ is lovely.

4 나는 **체스**를 할 줄 안다. → I can play ______________.

5 그들은 **낙타**를 탄다. → They ride a ______________.

6 그 **카메라**는 낡았다. → The ______________ is old.

7 그 **아이**는 키가 크다. → The ______________ is tall.

8 나는 **체리**파이를 좋아한다. → I like ______________ pie.

보기

dog	dice	dish	doctor
drum	dress	drive	dragon

A 우리말 뜻을 보고 알맞은 단어를 보기 에서 찾아 쓰세요.

1 북 → ______________

2 개 → ______________

3 접시 → ______________

4 용 → ______________

5 의사 → ______________

6 주사위 → ______________

7 드레스 → ______________

8 운전하다 → ______________

B 우리말과 같도록 보기 에서 알맞은 단어를 찾아 문장을 완성하세요.

1 **주사위**를 던져라. → Roll a ______________.

2 그 **개**는 똑똑하다. → The ______________ is smart.

3 이 **접시**는 깨끗하다. → This ______________ is clean.

4 나는 큰 **북**이 있다. → I have a big ______________.

5 그는 **의사**다. → He is a ______________.

6 나는 이 **드레스**가 좋다. → I like this ______________.

7 그 **용**은 무섭게 생겼다. → The ______________ looks scary.

8 당신은 **운전할** 수 있나요? → Can you ______________?

보기

egg	eat	east	easel
eagle	eight	engine	elephant

A 우리말 뜻을 보고 알맞은 단어를 보기 에서 찾아 쓰세요.

1 먹다 → ____________

2 달걀 → ____________

3 동쪽 → ____________

4 이젤 → ____________

5 엔진 → ____________

6 독수리 → ____________

7 8, 여덟 → ____________

8 코끼리 → ____________

B 우리말과 같도록 보기 에서 알맞은 단어를 찾아 문장을 완성하세요.

1 **8**시다. → It is ____________ o'clock.

2 **달걀** 프라이를 해라. → Fry an ____________.

3 저녁을 **먹**자. → Let's ____________ dinner.

4 **독수리** 한 마리가 날고 있다. → An ____________ is flying.

5 그것은 아기 **코끼리**다. → It is a baby ____________.

6 그 그림은 **이젤** 위에 있다. → The picture is on the ____________.

7 어느 쪽이 **동쪽**이에요? → Which way is ____________?

8 그 **엔진**은 작동하지 않는다. → The ____________ doesn't work.

보기

fly fog face flag
four fire flute floor

A 우리말 뜻을 보고 알맞은 단어를 보기 에서 찾아 쓰세요.

1 불 → ______

2 날다 → ______

3 안개 → ______

4 깃발 → ______

5 얼굴 → ______

6 바닥 → ______

7 플루트 → ______

8 4, 넷 → ______

B 우리말과 같도록 보기 에서 알맞은 단어를 찾아 문장을 완성하세요.

1 숫자 4를 써라. → Write the number ______.

2 **안개**가 짙다. → The ______ is thick.

3 새들은 **날** 수 있다. → Birds can ______.

4 **바닥**을 쓸어주세요. → Please sweep the ______.

5 너의 **얼굴**을 그려라. → Draw your ______.

6 그는 **깃발**을 들고 있다. → He is holding a ______.

7 아빠는 **불**을 피우고 있다. → Dad is making a ______.

8 그녀는 **플루트**를 연주한다. → She plays the ______.

보기

gas	gum	golf	grill
grape	grass	graph	guitar

A 우리말 뜻을 보고 알맞은 단어를 보기 에서 찾아 쓰세요.

1 껌 → ______

2 가스 → ______

3 기타 → ______

4 골프 → ______

5 포도 → ______

6 그래프 → ______

7 풀, 잔디 → ______

8 그릴, 석쇠 → ______

B 우리말과 같도록 보기 에서 알맞은 단어를 찾아 문장을 완성하세요.

1 저 **그래프**를 보아라. → Look at that ______.

2 **포도** 주스를 마시자. → Let's have ______ juice.

3 아빠는 **골프**를 친다. → Dad plays ______.

4 그는 **껌**을 씹고 있다. → He is chewing ______.

5 그는 **기타**를 연주한다. → He plays the ______.

6 소들이 **풀**을 먹고 있다. → Cows are eating ______.

7 그것을 **석쇠** 위에 놓아라. → Put it on the ______.

8 우리는 **가스** 오븐이 있다. → We have a ______ oven.

보기

hat	moth	hair	harp
cloth	tooth	Earth	honey

A 우리말 뜻을 보고 알맞은 단어를 보기 에서 찾아 쓰세요.

1 꿀 → ______________

2 모자 → ______________

3 하프 → ______________

4 나방 → ______________

5 지구 → ______________

6 이(빨) → ______________

7 천, 옷감 → ______________

8 머리(카락) → ______________

B 우리말과 같도록 보기 에서 알맞은 단어를 찾아 문장을 완성하세요.

1 이 **천**은 부드럽다. → This ______________ is soft.

2 벌들은 **꿀**을 만든다. → Bees make ______________.

3 그녀는 **머리**가 길다. → She has long ______________.

4 나의 **이**가 흔들린다. → My ______________ is loose.

5 우리는 **지구**에서 산다. → We live on ______________.

6 그는 **모자**를 사고 있다. → He is buying a ______________.

7 그녀는 **하프**를 잘 켠다. → She plays the ______________ well.

8 **나방**은 밤에 날아다닌다. → A ______________ flies at night.

보기			
ice	ink	ivy	iron
Italy	igloo	iguana	ice cream

A 우리말 뜻을 보고 알맞은 단어를 보기 에서 찾아 쓰세요.

1 얼음 → ____________

2 잉크 → ____________

3 다리미 → ____________

4 이글루 → ____________

5 이탈리아 → ____________

6 이구아나 → ____________

7 담쟁이덩굴 → ____________

8 아이스크림 → ____________

B 우리말과 같도록 보기 에서 알맞은 단어를 찾아 문장을 완성하세요.

1 **잉크**로 써라. → Write in ____________.

2 나는 **얼음**이 조금 필요하다. → I need some ____________.

3 **이탈리아**는 유럽에 있다. → ____________ is in Europe.

4 **다리미**를 만지지 마라. → Don't touch the ____________.

5 그는 **이구아나**를 키운다. → He has an ____________.

6 그들은 **이글루**에 산다. → They live in an ____________.

7 샘은 **담쟁이덩굴**을 기르고 있다. → Sam is growing ____________.

8 **아이스크림**은 달다. → ____________ is sweet.

보기

jam	jet	jug	jeep
jump	jelly	jungle	juggle

A 우리말 뜻을 보고 알맞은 단어를 보기 에서 찾아 쓰세요.

1 잼 → ____________

2 젤리 → ____________

3 제트기 → ____________

4 지프차 → ____________

5 주전자 → ____________

6 점프하다 → ____________

7 정글, 밀림 → ____________

8 저글링하다 → ____________

B 우리말과 같도록 보기 에서 알맞은 단어를 찾아 문장을 완성하세요.

1 다 같이 **점프하**자. → Let's ____________ together.

2 그것은 물 **주전자**다. → It is a water ____________.

3 킹콩은 **정글**에 산다. → King Kong lives in the ____________.

4 아빠는 **지프차**를 운전한다. → Dad drives a ____________.

5 엄마는 **젤리**를 만들고 있다. → Mom is making ____________.

6 나는 오렌지 **잼**을 좋아한다. → I like orange ____________.

7 그 광대는 **저글링할** 수 있다. → The crown can ____________.

8 그 **제트기**는 빠르게 날아간다. → The ____________ flies fast.

보기

key	kiss	kite	bank
link	tank	wink	koala

A 우리말 뜻을 보고 알맞은 단어를 보기 에서 찾아 쓰세요.

1 연 → ______________

2 뽀뽀 → ______________

3 윙크 → ______________

4 열쇠 → ______________

5 은행 → ______________

6 고리 → ______________

7 코알라 → ______________

8 수조, 어항 → ______________

B 우리말과 같도록 보기 에서 알맞은 단어를 찾아 문장을 완성하세요.

1 **연**을 날리자. → Let's fly a ______________.

2 나는 **은행**에 가고 있다. → I am going to the ______________.

3 엄마한테 **뽀뽀**해 줘. → Give Mommy a ______________.

4 그는 **윙크**하며 웃는다. → He smiles with a ______________.

5 우리는 **어항**이 필요하다. → We need a fish ______________.

6 당신은 **열쇠**를 갖고 있나요? → Do you have a ______________?

7 그 **코알라**는 귀여워 보인다. → The ______________ looks cute.

8 이 사슬은 **고리**가 5개다. → This chain has 5 ______________s.

보기

log	ball	bell	hill
lady	lion	lock	well

A 우리말 뜻을 보고 알맞은 단어를 보기 에서 찾아 쓰세요.

1 공 → ______________

2 종 → ______________

3 사자 → ______________

4 숙녀 → ______________

5 언덕 → ______________

6 우물 → ______________

7 자물쇠 → ______________

8 통나무 → ______________

B 우리말과 같도록 보기 에서 알맞은 단어를 찾아 문장을 완성하세요.

1 저 **사자**는 힘이 세다. → That ______________ is strong.

2 **공**을 패스해라. → Pass the ______________.

3 그녀는 젊은 **숙녀**다. → She is a young ______________.

4 그 **종**이 울리고 있다. → The ______________ is ringing.

5 그 **자물쇠**는 나의 것이다. → The ______________ is mine.

6 그 **통나무**는 불에 타고 있다. → The ______________ is burning.

7 나의 집에는 **우물**이 있다. → My house has a ______________.

8 나는 **언덕**에 올라가고 있다. → I am climbing up the ______________.

보기

man	mat	bomb	comb
mask	lamb	mango	climb

A 우리말 뜻을 보고 알맞은 단어를 보기 에서 찾아 쓰세요.

1 빗 → ____________

2 매트 → ____________

3 남자 → ____________

4 폭탄 → ____________

5 가면 → ____________

6 망고 → ____________

7 오르다 → ____________

8 새끼 양 → ____________

B 우리말과 같도록 보기 에서 알맞은 단어를 찾아 문장을 완성하세요.

1 이 **망고**는 달다. → This ____________ is sweet.

2 그것은 **폭탄**이다. → It is a ____________.

3 이 **매트**는 더럽다. → This ____________ is dirty.

4 그는 **가면**을 쓰고 있다. → He is wearing a ____________.

5 그는 키가 큰 **남자**다. → He is a tall ____________.

6 내 **빗**은 쓰지 마라. → Don't use my ____________.

7 **새끼 양** 한 마리가 자고 있다. → A ____________ is sleeping.

8 코알라들은 나무에 잘 **오른다**. → Koalas ____________ trees well.

보기

net	news	king	ring
noon	song	night	swing

A 우리말 뜻을 보고 알맞은 단어를 보기 에서 찾아 쓰세요.

1 밤 → ____________
2 왕 → ____________
3 그물 → ____________
4 뉴스 → ____________
5 반지 → ____________
6 노래 → ____________
7 그네 → ____________
8 정오 (낮 12시) → ____________

B 우리말과 같도록 보기 에서 알맞은 단어를 찾아 문장을 완성하세요.

1 **노래**를 부르자. → Let's sing a ____________.
2 그 **왕**은 용감하다. → The ____________ is brave.
3 **뉴스**를 보자. → Let's watch the ____________.
4 그녀는 **반지**를 끼고 있다. → She is wearing a ____________.
5 우리는 **밤**에 잠을 잔다. → We sleep at ____________.
6 그는 **그물**을 던지고 있다. → He is throwing a ____________.
7 그녀는 **그네**를 타며 논다. → She plays on a ____________.
8 그 가게는 **정오**에 문을 연다. → The store opens at ____________.

보기

ox	old	own	open
oval	October	ostrich	octopus

A 우리말 뜻을 보고 알맞은 단어를 보기 에서 찾아 쓰세요.

1 열다 → ____________

2 나이 많은 → ____________

3 황소 → ____________

4 10월 → ____________

5 문어 → ____________

6 타조 → ____________

7 타원(형) → ____________

8 소유하다 (가지고 있다) → ____________

B 우리말과 같도록 보기 에서 알맞은 단어를 찾아 문장을 완성하세요.

1 **타원**을 그려라. → Draw an ____________.

2 그는 **황소** 한 마리를 기른다. → He keeps an ____________.

3 그는 **나이가 많**다. → He is ____________.

4 문 좀 **열어**주세요. → Please ____________ the door.

5 **10월** 1일이다. → It is ____________ 1st.

6 그들이 그 집을 **소유하고 있다**. → They ____________ the house.

7 **타조**는 날지 못한다. → An ____________ can't fly.

8 **문어**는 바다에서 산다. → An ____________ lives in the sea.

보기

pin	play	plane	plus
plant	pizza	piano	pencil

A 우리말 뜻을 보고 알맞은 단어를 보기 에서 찾아 쓰세요.

1 핀 → ______________

2 피자 → ______________

3 식물 → ______________

4 연필 → ______________

5 놀다 → ______________

6 비행기 → ______________

7 피아노 → ______________

8 더하기 → ______________

B 우리말과 같도록 보기 에서 알맞은 단어를 찾아 문장을 완성하세요.

1 당신은 **핀**이 있나요? → Do you have a ______________?

2 그것은 장난감 **비행기**다. → It is a toy ______________.

3 공을 가지고 **놀**자. → Let's ______________ with a ball.

4 **식물**에 물을 주세요. → Water the ______________, please.

5 이것은 나의 **연필**이다. → This is my ______________.

6 1 **더하기** 2는 3이다. → One ______________ two is three.

7 그는 **피아노**를 잘 치나요? → Can he play the ______________ well?

8 나는 **피자**를 아주 좋아한다. → I love ______________.

보기

quick	queen	quilt	quack
squid	square	squeeze	squirrel

A 우리말 뜻을 보고 알맞은 단어를 보기 에서 찾아 쓰세요.

1 퀼트 → ____________

2 여왕 → ____________

3 (재)빠른 → ____________

4 오징어 → ____________

5 정사각형 → ____________

6 다람쥐 → ____________

7 꽥꽥거리다 → ____________

8 (액체를) 짜다 → ____________

B 우리말과 같도록 보기 에서 알맞은 단어를 찾아 문장을 완성하세요.

1 그는 걸음이 **빠르**다. → He is a ____________ walker.

2 그 **여왕**은 친절하다. → The ____________ is kind.

3 그 **퀼트**는 알록달록하다. → The ____________ is colorful.

4 그것은 **오징어**다. → It is a ____________.

5 오리들은 **꽥꽥거린다.** → Ducks ____________.

6 그것은 **정사각형** 모양이다. → It looks like a ____________.

7 레몬에서 즙을 **짜**자. → Let's ____________ juice from a lemon.

8 **다람쥐**는 작다. → A ____________ is small.

보기

rat	rope	river	tower
radio	butter	hammer	raccoon

A 우리말 뜻을 보고 알맞은 단어를 보기 에서 찾아 쓰세요.

1 쥐 → ______________

2 탑 → ______________

3 강 → ______________

4 밧줄 → ______________

5 버터 → ______________

6 망치 → ______________

7 라디오 → ______________

8 라쿤 (미국너구리) → ______________

B 우리말과 같도록 보기 에서 알맞은 단어를 찾아 문장을 완성하세요.

1 **강**을 건너자. → Let's cross the ______________.

2 당신은 **쥐**가 보이나요? → Can you see a ______________?

3 그 **밧줄**을 당겨라. → Pull the ______________.

4 저것은 너의 **라디오**다. → That is your ______________.

5 그들은 **탑**을 짓고 있다. → They are building a ______________.

6 그 **버터**는 신선하다. → The ______________ is fresh.

7 그 **망치**를 사용해라. → Use the ______________.

8 그 **라쿤**은 빠르게 움직인다. → The ______________ moves fast.

보기

sky	sea	star	shoe
shop	stick	shell	shark

A 우리말 뜻을 보고 알맞은 단어를 보기 에서 찾아 쓰세요.

1 별 → ____________

2 하늘 → ____________

3 바다 → ____________

4 신발 → ____________

5 가게 → ____________

6 막대기 → ____________

7 상어 → ____________

8 껍데기[껍질] → ____________

B 우리말과 같도록 보기 에서 알맞은 단어를 찾아 문장을 완성하세요.

1 **하늘**이 어둡다. → The ____________ is dark.

2 **바다**가 잔잔하다. → The ____________ is calm.

3 그 **별**은 빛나고 있다. → The ____________ is shining.

4 여기는 선물 **가게**다. → This is a gift ____________.

5 **신발** 크기가 몇이에요? → What's your ____________ size?

6 정말 큰 **상어**구나! → What a huge ____________!

7 그것은 **껍질**이 단단하다. → It has a hard ____________.

8 그 **막대기**를 사용해라. → Use the ____________.

보기

two	taxi	trap	tent
tiger	trash	truck	trumpet

A 우리말 뜻을 보고 알맞은 단어를 보기 에서 찾아 쓰세요.

1 덫 → ______________
2 텐트 → ______________
3 택시 → ______________
4 트럭 → ______________
5 호랑이 → ______________
6 트럼펫 → ______________
7 2, 둘 → ______________
8 쓰레기 → ______________

B 우리말과 같도록 보기 에서 알맞은 단어를 찾아 문장을 완성하세요.

1 당신은 **택시** 운전사인가요? → Are you a ______________ driver?
2 이 **호랑이**는 무섭다. → This ______________ is scary.
3 지금은 2시다. → It is ______________ o'clock now.
4 그것은 쥐**덫**이다. → It is a mouse ______________.
5 **쓰레기**가 많다. → There is a lot of ______________.
6 라쿤들이 그 **텐트**에 있다. → Raccoons are in the ______________.
7 그는 **트럭**을 세차하고 있다. → He is washing a ______________.
8 톰은 **트럼펫**을 갖고 있다. → Tom has a ______________.

보기

up	UFO	use	under
unicorn	uniform	underwear	umbrella

A 우리말 뜻을 보고 알맞은 단어를 보기 에서 찾아 쓰세요.

1 위로 → ______

2 아래에 → ______

3 우산 → ______

4 속옷 → ______

5 유니콘 → ______

6 유니폼 → ______

7 사용하다 → ______

8 비행접시 → ______

B 우리말과 같도록 보기 에서 알맞은 단어를 찾아 문장을 완성하세요.

1 저 **비행접시**를 봐라. → Look at that ______.

2 그 바위 **위로** 올라가자. → Let's climb ______ the rock.

3 그 공은 탁자 **아래에** 있다. → The ball is ______ the table.

4 나는 스마트폰을 **사용한다**. → I ______ my smartphone.

5 그녀는 **유니콘**을 그리고 있다. → She is drawing a ______.

6 너의 **속옷**을 갈아입어라. → Change your ______.

7 그녀는 **유니폼**을 입는다. → She wears a ______.

8 이것은 누구의 **우산**인가요? → Whose ______ is this?

보기

vase	live	love	hive
cave	video	violin	volcano

A 우리말 뜻을 보고 알맞은 단어를 보기 에서 찾아 쓰세요.

1 사랑 → ____________

2 살다 → ____________

3 꽃병 → ____________

4 동굴 → ____________

5 벌집 → ____________

6 화산 → ____________

7 바이올린 → ____________

8 비디오, 동영상 → ____________

B 우리말과 같도록 보기 에서 알맞은 단어를 찾아 문장을 완성하세요.

1 **벌집**을 조심해라. → Watch out the ____________.

2 그 **비디오**를 보자. → Let's watch the ____________.

3 그것은 거대한 **화산**이다. → It is a huge ____________.

4 나는 한국에서 **산다**. → I ____________ in Korea.

5 나는 **꽃병**을 살 것이다. → I will buy a ____________.

6 그것은 **사랑** 이야기다. → It is a ____________ story.

7 그는 **바이올린**을 배운다. → He learns the ____________.

8 그 **동굴**은 어디에 있나요? → Where is the ____________?

보기			
web	bow	word	worm
snow	wizard	throw	shadow

A 우리말 뜻을 보고 알맞은 단어를 보기 에서 찾아 쓰세요.

1 눈 → ____________

2 단어 → ____________

3 벌레 → ____________

4 거미줄 → ____________

5 마법사 → ____________

6 나비매듭 → ____________

7 그림자 → ____________

8 던지다 → ____________

B 우리말과 같도록 보기 에서 알맞은 단어를 찾아 문장을 완성하세요.

1 **거미줄**은 끈적거린다. → A ____________ is sticky.

2 **눈**이 녹고 있다. → The ____________ is melting.

3 그는 **마법사**다. → He is a ____________.

4 **단어** 카드들을 만들자. → Let's make ____________ cards.

5 그것은 **나비**넥타이다. → It is a ____________ tie.

6 그 **벌레**는 꿈틀대고 있다. → The ____________ is wiggling.

7 공을 **던지지** 마라. → Don't ____________ a ball.

8 그것은 나무의 **그림자**다. → It is the ____________ of a tree.

보기

ax	yak	six	box
wax	yard	yacht	yo-yo

A 우리말 뜻을 보고 알맞은 단어를 보기 에서 찾아 쓰세요.

1 요요 → ____________

2 왁스 → ____________

3 상자 → ____________

4 요트 → ____________

5 마당 → ____________

6 도끼 → ____________

7 6, 여섯 → ____________

8 야크 (털이 긴 들소) → ____________

B 우리말과 같도록 보기 에서 알맞은 단어를 찾아 문장을 완성하세요.

1 그 **상자**는 무겁다. → The ____________ is heavy.

2 **6**페이지를 보아라. → Look at page ____________.

3 **도끼**를 내려놓아라. → Put down the ____________.

4 너는 **야크**를 볼 수 있다. → You can see a ____________.

5 **요요**하며 놀자. → Let's play ____________.

6 **왁스**는 얼마예요? → How much is the ____________?

7 그의 집에는 **마당**이 있다. → His house has a ____________.

8 너의 **요트**는 멋있어 보인다. → Your ____________ looks nice.

UNIT 25

보기

zoo	size	maze	zero
zone	doze	zombie	sneeze

A 우리말 뜻을 보고 알맞은 단어를 보기 에서 찾아 쓰세요.

1 크기 → ______

2 미로 → ______

3 지역 → ______

4 좀비 → ______

5 0, 영 → ______

6 동물원 → ______

7 졸다 → ______

8 재채기하다 → ______

B 우리말과 같도록 보기 에서 알맞은 단어를 찾아 문장을 완성하세요.

1 나는 **동물원**에 가고 있다. → I am going to the ______.

2 그것은 **크기**가 작다. → It is small in ______.

3 그것은 숫자 **0**이다. → It is the number ______.

4 **미로**를 빠져나가자. → Let's go through the ______.

5 이곳은 위험 **지역**이다. → This is a danger ______.

6 수업 중에 **졸지** 마라. → Don't ______ in class.

7 그것은 **좀비** 영화다. → It is a ______ movie.

8 나는 자주 **재채기를 한다**. → I often ______.

VOCABULARY MENTOR JOY START 1

ANSWERS

정답

ANSWERS 정답

Unit 01

A
1 ant 2 apple
3 ape 4 alien
5 arrow 6 angry
7 angel 8 apron

B
1 angry 2 ant
3 apple 4 arrow
5 ape 6 alien
7 apron 8 angel

Unit 02

A
1 baby 2 blank
3 button 4 bat
5 banana 6 blender
7 blue 8 black

B
1 blue 2 baby
3 blank 4 bat
5 black 6 banana
7 blender 8 button

Unit 03

A
1 chain 2 chess
3 camel 4 child
5 cherry 6 cat
7 camera 8 cap

B
1 cap 2 chain
3 cat 4 chess
5 camel 6 camera
7 child 8 cherry

Unit 04

A
1 drum 2 dog
3 dish 4 dragon
5 doctor 6 dice
7 dress 8 drive

B
1 dice 2 dog
3 dish 4 drum
5 doctor 6 dress
7 dragon 8 drive

Unit 05

A
1 eat 2 egg
3 east 4 easel
5 engine 6 eagle
7 eight 8 elephant

B
1 eight 2 egg
3 eat 4 eagle
5 elephant 6 easel
7 east 8 engine

Unit 06

A
1 fire 2 fly
3 fog 4 flag
5 face 6 floor
7 flute 8 four

B
1 four 2 fog
3 fly 4 floor
5 face 6 flag
7 fire 8 flute

Unit 07

A

1 gum 2 gas
3 guitar 4 golf
5 grape 6 graph
7 grass 8 grill

B

1 graph 2 grape
3 golf 4 gum
5 guitar 6 grass
7 grill 8 gas

Unit 08

A

1 honey 2 hat
3 harp 4 moth
5 Earth 6 tooth
7 cloth 8 hair

B

1 cloth 2 honey
3 hair 4 tooth
5 Earth 6 hat
7 harp 8 moth

Unit 09

A

1 ice 2 ink
3 iron 4 igloo
5 Italy 6 iguana
7 ivy 8 ice cream

B

1 ink 2 ice
3 Italy 4 iron
5 iguana 6 igloo
7 ivy 8 Ice cream

Unit 10

A

1 jam 2 jelly
3 jet 4 jeep
5 jug 6 jump
7 jungle 8 juggle

B

1 jump 2 jug
3 jungle 4 jeep
5 jelly 6 jam
7 juggle 8 jet

Unit 11

A

1 kite 2 kiss
3 wink 4 key
5 bank 6 link
7 koala 8 tank

B

1 kite 2 bank
3 kiss 4 wink
5 tank 6 key
7 koala 8 links

Unit 12

A

1 ball 2 bell
3 lion 4 lady
5 hill 6 well
7 lock 8 log

B

1 lion 2 ball
3 lady 4 bell
5 lock 6 log
7 well 8 hill

ANSWERS 정답

Unit 13

A	1	comb	2	mat
	3	man	4	bomb
	5	mask	6	mango
	7	climb	8	lamb
B	1	mango	2	bomb
	3	mat	4	mask
	5	man	6	comb
	7	lamb	8	climb

Unit 14

A	1	night	2	king
	3	net	4	news
	5	ring	6	song
	7	swing	8	noon
B	1	song	2	king
	3	news	4	ring
	5	night	6	net
	7	swing	8	noon

Unit 15

A	1	open	2	old
	3	ox	4	October
	5	octopus	6	ostrich
	7	oval	8	own
B	1	oval	2	ox
	3	old	4	open
	5	October	6	own
	7	ostrich	8	octopus

Unit 16

A	1	pin	2	pizza
	3	plant	4	pencil
	5	play	6	plane
	7	piano	8	plus
B	1	pin	2	plane
	3	play	4	plant
	5	pencil	6	plus
	7	piano	8	pizza

Unit 17

A	1	quilt	2	queen
	3	quick	4	squid
	5	square	6	squirrel
	7	quack	8	squeeze
B	1	quick	2	queen
	3	quilt	4	squid
	5	quack	6	square
	7	squeeze	8	squirrel

Unit 18

A	1	rat	2	tower
	3	river	4	rope
	5	butter	6	hammer
	7	radio	8	raccoon
B	1	river	2	rat
	3	rope	4	radio
	5	tower	6	butter
	7	hammer	8	raccoon

Unit 19

A
1 star 2 sky
3 sea 4 shoe
5 shop 6 stick
7 shark 8 shell

B
1 sky 2 sea
3 star 4 shop
5 shoe 6 shark
7 shell 8 stick

Unit 20

A
1 trap 2 tent
3 taxi 4 truck
5 tiger 6 trumpet
7 two 8 trash

B
1 taxi 2 tiger
3 two 4 trap
5 trash 6 tent
7 truck 8 trumpet

Unit 21

A
1 up 2 under
3 umbrella 4 underwear
5 unicorn 6 uniform
7 use 8 UFO

B
1 UFO 2 up
3 under 4 use
5 unicorn 6 underwear
7 uniform 8 umbrella

Unit 22

A
1 love 2 live
3 vase 4 cave
5 hive 6 volcano
7 violin 8 video

B
1 hive 2 video
3 volcano 4 live
5 vase 6 love
7 violin 8 cave

Unit 23

A
1 snow 2 word
3 worm 4 web
5 wizard 6 bow
7 shadow 8 throw

B
1 web 2 snow
3 wizard 4 word
5 bow 6 worm
7 throw 8 shadow

Unit 24

A
1 yo-yo 2 wax
3 box 4 yacht
5 yard 6 ax
7 six 8 yak

B
1 box 2 six
3 ax 4 yak
5 yo-yo 6 wax
7 yard 8 yacht

Unit 25

A

1	size	2	maze
3	zone	4	zombie
5	zero	6	zoo
7	doze	8	sneeze

B

1	zoo	2	size
3	zero	4	maze
5	zone	6	doze
7	zombie	8	sneeze

Inkbooks
www.inkbooks.co.kr
무료 학습자료 다운로드 | 구매문의 02) 455 9620

Longman

VOCABULARY MENTOR JOY

START

Phonics Words

단어쓰기노트 1

Longman

Vocabulary MENTOR JOY

Phonics Words

단어 쓰기 노트

START

1

다음 단어의 우리말 뜻을 쓰고, 영어로 4번씩 반복해서 쓰세요.

1	2	3	4
ant	apple	arrow	angry
개미			
ant			

5	6	7	8
ape	alien	angel	apron

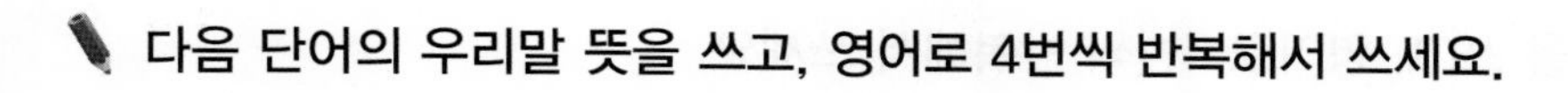

다음 단어의 우리말 뜻을 쓰고, 영어로 4번씩 반복해서 쓰세요.

1 bat
방망이
bat

2 baby

3 banana

4 button

5 blue

6 black

7 blank

8 blender

다음 단어의 우리말 뜻을 쓰고, 영어로 4번씩 반복해서 쓰세요.

1	2	3	4
cat	cap	camel	camera
고양이			
cat			

5	6	7	8
chain	chess	child	cherry

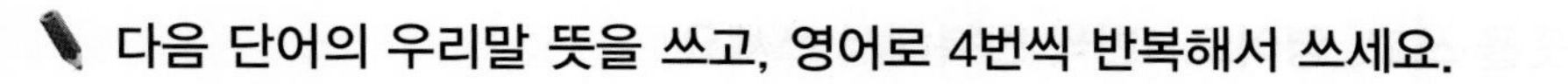

다음 단어의 우리말 뜻을 쓰고, 영어로 4번씩 반복해서 쓰세요.

1	2	3	4
dog	dish	dice	doctor
개			
dog			

5	6	7	8
drum	drive	dress	dragon

다음 단어의 우리말 뜻을 쓰고, 영어로 4번씩 반복해서 쓰세요.

1	2	3	4
egg	eight	engine	elephant
달걀			
egg			

5	6	7	8
eat	east	eagle	easel

다음 단어의 우리말 뜻을 쓰고, 영어로 4번씩 반복해서 쓰세요.

1 fog
안개
fog

2 face

3 fire

4 four

5 fly

6 flag

7 floor

8 flute

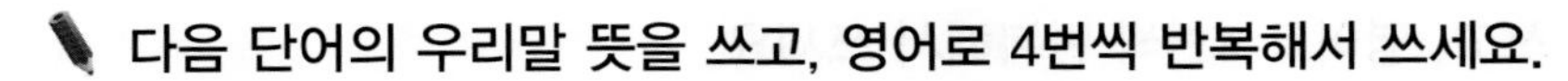

다음 단어의 우리말 뜻을 쓰고, 영어로 4번씩 반복해서 쓰세요.

1	2	3	4
gas	gum	golf	guitar
가스			
gas			

5	6	7	8
grill	grape	graph	grass

다음 단어의 우리말 뜻을 쓰고, 영어로 4번씩 반복해서 쓰세요.

1	2	3	4
hat	harp	hair	honey
모자			
hat			

5	6	7	8
moth	cloth	tooth	Earth

다음 단어의 우리말 뜻을 쓰고, 영어로 4번씩 반복해서 쓰세요.

1	2	3	4
ink	igloo	iguana	Italy
잉크			
ink			

5	6	7	8
ice	ice cream	ivy	iron

다음 단어의 우리말 뜻을 쓰고, 영어로 4번씩 반복해서 쓰세요.

1 jam
잼
jam

2 jet

3 jeep

4 jelly

5 jug

6 jump

7 jungle

8 juggle

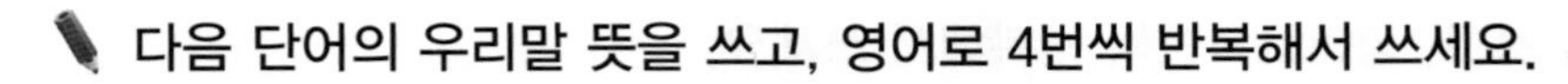

다음 단어의 우리말 뜻을 쓰고, 영어로 4번씩 반복해서 쓰세요.

1	2	3	4
key	kiss	kite	koala
열쇠			
key			

5	6	7	8
bank	link	tank	wink

다음 단어의 우리말 뜻을 쓰고, 영어로 4번씩 반복해서 쓰세요.

1 log
통나무
log

2 lion

3 lady

4 lock

5 ball

6 bell

7 hill

8 well

다음 단어의 우리말 뜻을 쓰고, 영어로 4번씩 반복해서 쓰세요.

1	2	3	4
man	mat	mask	mango
남자			
man			

5	6	7	8
bomb	comb	lamb	climb

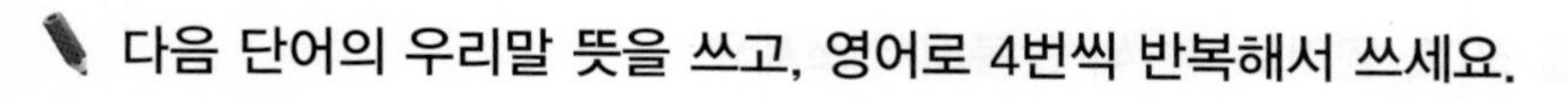

다음 단어의 우리말 뜻을 쓰고, 영어로 4번씩 반복해서 쓰세요.

1	2	3	4
net	news	noon	night
그물			
net			

5	6	7	8
king	ring	song	swing

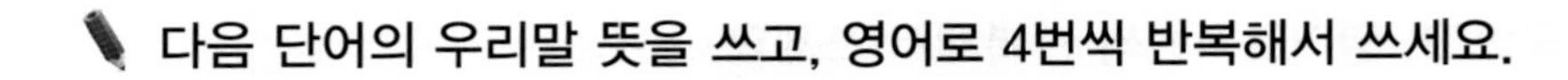

다음 단어의 우리말 뜻을 쓰고, 영어로 4번씩 반복해서 쓰세요.

1	2	3	4
ox	October	octopus	ostrich
황소			
ox			

5	6	7	8
old	own	open	oval

다음 단어의 우리말 뜻을 쓰고, 영어로 4번씩 반복해서 쓰세요.

1 pin
핀
pin

2 piano

3 pizza

4 pencil

5 play

6 plane

7 plant

8 plus

다음 단어의 우리말 뜻을 쓰고, 영어로 4번씩 반복해서 쓰세요.

1 quilt
퀼트
quilt

2 queen

3 quick

4 quack

5 squid

6 square

7 squirrel

8 squeeze

다음 단어의 우리말 뜻을 쓰고, 영어로 4번씩 반복해서 쓰세요.

1	2	3	4
rat	rope	radio	raccoon
쥐			
rat			

5	6	7	8
river	tower	butter	hammer

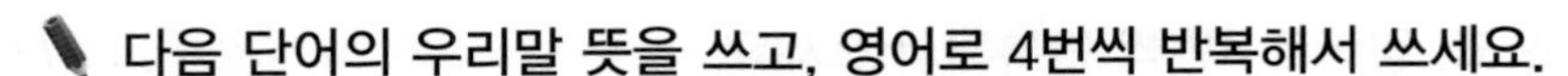

다음 단어의 우리말 뜻을 쓰고, 영어로 4번씩 반복해서 쓰세요.

1	2	3	4
sea	sky	star	stick
바다			
sea			

5	6	7	8
shoe	shop	shark	shell

다음 단어의 우리말 뜻을 쓰고, 영어로 4번씩 반복해서 쓰세요.

1 two
2, 둘
two

2 taxi

3 tent

4 tiger

5 trap

6 trash

7 truck

8 trumpet

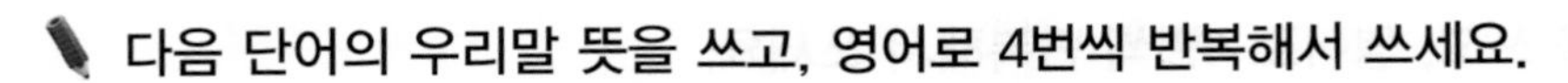

다음 단어의 우리말 뜻을 쓰고, 영어로 4번씩 반복해서 쓰세요.

1	2	3	4
up	under	umbrella	underwear
위로			
up			

5	6	7	8
UFO	use	unicorn	uniform

다음 단어의 우리말 뜻을 쓰고, 영어로 4번씩 반복해서 쓰세요.

1	2	3	4
vase	video	violin	volcano
꽃병			
vase			

5	6	7	8
cave	hive	live	love

다음 단어의 우리말 뜻을 쓰고, 영어로 4번씩 반복해서 쓰세요.

1	2	3	4
web	word	worm	wizard
거미줄			
web			

5	6	7	8
bow	snow	throw	shadow

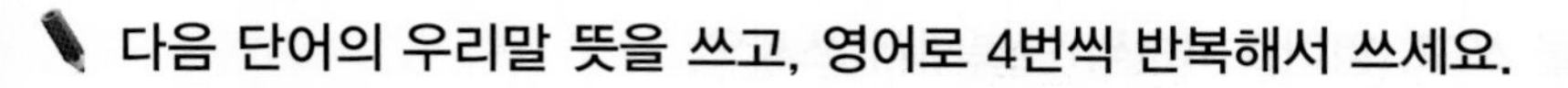

다음 단어의 우리말 뜻을 쓰고, 영어로 4번씩 반복해서 쓰세요.

1	2	3	4
ax	box	six	wax
도끼			
ax			

5	6	7	8
yak	yo-yo	yard	yacht

다음 단어의 우리말 뜻을 쓰고, 영어로 4번씩 반복해서 쓰세요.

1	2	3	4
zoo	zero	zone	zombie
동물원			
zoo			

5	6	7	8
size	maze	doze	sneeze

memo

memo